VESTIBULAR REHABILITATION

Clinical Management of Dizziness,
Vertigo and Postural Instability,
2nd Edition

前庭リハビリテーション

めまい・平衡障害に対するアプローチ

編集 浅井友詞　岩﨑真一

三輪書店

執筆者一覧

編集

浅井友詞	日本福祉大学 健康科学部 リハビリテーション学科 理学療法学専攻 教授
岩﨑真一	名古屋市立大学大学院医学研究科 耳鼻咽喉・頭頸部外科学 教授

執筆

浅井友詞	日本福祉大学 健康科学部 リハビリテーション学科 理学療法学専攻 教授
岩﨑真一	名古屋市立大学大学院医学研究科 耳鼻咽喉・頭頸部外科学 教授
蒲谷嘉代子	名古屋市立大学大学院医学研究科 耳鼻咽喉・頭頸部外科学
勝見さち代	名古屋市立大学大学院医学研究科 耳鼻咽喉・頭頸部外科学
浅井勇人	名古屋市立大学病院 リハビリテーション技術科
川村愛実	名古屋市立大学病院 リハビリテーション技術科
Everett B. Lohman, III, PT, DSc	Loma Linda University school of Allied Health Professions Physical Therapy Professor
Eric G. Johnson, PT, DSc	Loma Linda University school of Allied Health Professions Physical Therapy Professor

第2版序文

　本書は2015年に初版が発行されました．当初，本邦では末梢前庭障害に対するリハビリテーションは認知度が低いことから，コメディカルには新しい領域として目に映ったことと思います．その後，初版編集者の中山明峰先生，目白大学耳下学研究所クリニック院長　伏木宏彰先生，医長　角田玲子先生のご協力により研究会を立ち上げ，医師および理学療法士を中心としたコメディカルに参加いただくなかで，興味をもっていただける方々が増えていきました．
　2013年，第113回日本耳鼻咽喉科学会において，肥塚　泉先生（聖マリアンナ医科大学耳鼻咽喉科教授）より「めまいリハビリテーション」が紹介されて以降，前庭リハビリテーション（めまいリハビリテーション）の必要性は認識され，2017年の第76回日本めまい平衡医学会では，宇佐美真一学会長（信州大）のお取り計らいにより，テーマセッションで「科学的エビデンスに基づいためまいのリハビリテーション」の講演を企画していただきました．
　私が2009年に日本めまい平衡医学会に入会した当時，理学療法士の会員は非常に少ない印象でしたが，2021年には，塩崎智之先生を中心に日本前庭理学療法研究会（https://www.jvpt-shince2021.net/）が設立され，翌年の第81回日本めまい平衡医学会の企画には，「日本前庭理学療法研究会実践セミナー」が組み入れられ，医学会のなかでの認知も大いに高まっていると思います．
　一方，日本運動器理学療法学会理事長　対馬栄輝先生のご推薦による学会企画や，第20回日本神経理学療法学会学術大会（森岡　周学会長）では，前庭リハビリテーションのセッションが設定されました．このように本邦では初版以来，目覚ましく前庭リハビリテーションは認知されています．
　2016年，2022年には，米国理学療法士協会よりガイドラインが示され，前庭リハビリテーションの方針がさらに充実しました．名古屋市立大学病院では2021年4月より耳鼻咽喉・頭頸部外科の岩﨑真一教授，蒲谷嘉代子先生，リハビリテーション医学分野の植木美乃教授，村上里奈先生を中心に，前庭リハビリテーショングループが再構成され，医師による医学的評価・診断と強く連携した，めまい患者の理学療法が進められています．また，前庭をキーワードとした，地域住民やスポーツ選手に対する研究も進んでいます．
　第2版では，2016年，2022年に示された米国におけるガイドラインやロマリ

ンダ大学での取り組み，本邦での指針を参考に加筆するとともに，初版の1章，2章，3章をわかりやすく整理し，4章以降には私たちのデータを追記しました．

　第2版は，初版以降の本邦での取り組みを踏まえ，三輪書店社長 青山 智氏，野沢 聡氏のご理解により，発刊の機会を得ることができました．前庭リハビリテーションに出会って以来，ご指導をいただいているロマリンダ大学Everett B. Lohman Ⅲ教授，Eric G. Johnson教授，臨床や研究でご指導・ご協力をいただいている名古屋市立大学病院リハビリテーション科のスタッフの方々，日本福祉大学健康科学部関係者の皆さま，医療法人ミズタニ理事長 水谷武彦先生，水谷病院副院長 水谷陽子先生，医療法人孝友会理事長 浅井貴裕先生に感謝申し上げます．

　最後に，前庭リハビリテーションとして診療報酬が認められることを切に願うとともに，理学療法士，作業療法士，言語聴覚士の卒前教育のテキストとして，臨床現場でのバイブルとして活用していただき，めまい患者の治療や前庭機能の改善に貢献できることを期待いたします．

2023年8月

浅井友詞

初版序文

　前庭リハビリテーション（以下，リハ）は，1941年にCookseyにより報告されて以来，70年以上前から提唱されている治療で，対象は半規管の障害や前庭機能の低下によるめまい・ふらつき症状である．

　前庭からの情報は，眼球運動や頸部固有感覚からの情報と統合され平衡機能を司っており，前庭機能や頸部の障害によりめまいや身体の不安定性を誘発する．前庭障害に悩んでいる方は多く，姿勢コントロールと合わせて興味深いリハの領域である．

　前庭リハとの出会いは，筆者がユマニテク医療専門学校（現・ユマニテク医療福祉大学校）在職中に大橋学園会長・大橋正行氏のご理解によりロマリンダ大学（米国）との教育システムを準備している頃のことであった．当時，わが国では馴染みがない腎臓・肝臓のリハや吊り下げ式免荷歩行装置，前庭リハなどの治療方法に触れることができた．その後，ロマリンダ大学のEverett LohmanⅢ教授，Eric Johnson教授の好意とNaoko Kashiwa博士の協力により前庭リハの指導を受けることができた．しかし，前庭リハに関わる機会はなく，当初は今回の執筆者でもある森本浩之氏と学生を対象とした前庭刺激による平衡機能を評価する実験から開始した．そして，2008年頃，水谷病院院長・水谷武彦先生，副院長・水谷陽子先生より名古屋市立大学耳鼻咽喉科学教室をご紹介いただき，Epley法を日本に普及させた中山明峰先生のご指導のもとにわれわれの前庭リハがスタートした．中山先生のめまい外来を見学するとともに前庭障害についてご教示いただき，少しずつめまい患者のリハに携わっていく機会を得た．そのご縁から本書の編集者として中山先生にも加わっていただき，経験症例が少ない状況であるが，コメディカルのための前庭リハの入門書として発刊することができた．

　発刊にあたり，2010年頃より三輪書店社長・青山 智氏，濱田亮宏氏よりお話をいただいていたが，日々新しい情報に追われまとめることができなかった．ここに山中恭子氏の協力も得て，また，日頃から医療法人ミズタニのスタッフ一同のご理解とモデルを務めていただいた教え子の太田恵理子氏のおかげで，このたび刊行にたどり着くことができたことに感謝を申し上げたい．さらに，常にわれわれを支援し，本書が完成することを待ち望んでくださったロマリン

ダ大学言語聴覚学科のKeiko Inada Khoo教授が2015年4月に急逝されたことは残念でならない．ここに謹んで哀悼の意を表します．

　最後に，本書を前庭障害のリハに携わる方々や理学療法士・作業療法士・言語聴覚士の学生の参考書として活用していただき，めまいの患者の治療に貢献できることを期待している．

2015年4月
浅井友詞

目次

第1章 前庭系の構造と機能　岩﨑真一

- Ⅰ 前庭系の構造 ･････････････････････････････････ 2
  - 1. 内耳の構造 ･･････････････････････････････ 2
  - 2. 前庭の機能と構造 ････････････････････････ 3
- Ⅱ 前庭系の情報伝達経路と機能 ････････････････ 7
  - 1. 前庭動眼反射 ････････････････････････････ 7
  - 2. 前庭脊髄反射 ････････････････････････････ 7
  - 3. 前庭自律神経反射 ････････････････････････ 8
  - 4. 小脳の機能 ･･････････････････････････････ 9
  - 5. 大脳の関与 ･･････････････････････････････ 9
- Ⅲ 体平衡の維持機構 ･･････････････････････････ 10
  - 1. 固有感覚系 ･････････････････････････････ 10
  - 2. 視覚系 ･････････････････････････････････ 11
- Ⅳ 前庭代償 ･･････････････････････････････････ 11

第2章 前庭系の障害　岩﨑真一，蒲谷嘉代子，勝見さち代

- Ⅰ 前庭神経炎 ････････････････････････････････ 16
- Ⅱ メニエール病 ･･････････････････････････････ 18
- Ⅲ 良性発作性頭位めまい症 ･･･････････････････ 22
- Ⅳ 両側前庭機能障害 ･･････････････････････････ 24
- Ⅴ 心理的要因によるめまい，
  持続性知覚性姿勢誘発めまい ･･････････････ 26

- Ⅵ めまいを生じる中枢疾患：小脳・脳幹梗塞，
  椎骨脳底動脈循環不全 ···································· 29
- Ⅶ 加齢 ·· 32
- Ⅷ その他：聴神経腫瘍，起立性調節障害，動揺病 ······· 34

第3章　前庭リハビリテーションを行う際に必要な評価

浅井友詞，蒲谷嘉代子，川村愛実，Eric G. Johnson

- Ⅰ めまい・平衡障害の検査と評価法の種類
  および注意事項 ··· 38
  1. 評価法の種類 ·· 38
  2. 評価を行う際の注意事項 ································· 39
- Ⅱ 前庭リハビリテーション領域における評価 ·········· 40
  1. 前庭リハビリテーションを行う際に必要な主観的評価法 · 40
  2. 感覚検査 ·· 52
  3. 協調性検査 ··· 53
  4. 頸部機能評価 ·· 54
  5. 筋力の評価 ··· 54
  6. 姿勢の評価 ··· 54
  7. 動きの感受性の評価 ······································· 55
  8. 静的バランス評価 ·· 56
  9. 動的バランス評価 ·· 65
  10. 移動機能 ·· 67
- Ⅲ めまい・平衡障害の診断のための検査 ················ 78
  1. 眼振検査 ·· 78
  2. 前庭機能検査 ·· 82
  3. 小脳脳幹機能検査 ·· 86

第4章 前庭機能低下症に対するリハビリテーション

浅井友詞, 川村愛実, Eric G. Johnson

- **I** 前庭リハビリテーション ······ 98
- **II** 前庭障害における回復のメカニズム ······ 100
  1. Gaze stability exercise ······ 100
  2. Habituation exercise ······ 104
  3. Substitution exercise ······ 113
  4. その他の方法 ······ 116
- **III** 結果に影響する因子 ······ 120
  1. 年齢 ······ 120
  2. 発症してからの時間経過 ······ 120
  3. 心理的・精神的要因 ······ 121
  4. 障害部位 ······ 121
  5. 視覚と体性感覚の入力 ······ 122
  6. 前庭リハビリテーションの継続期間 ······ 122
  7. 個別リハビリテーション ······ 123
- **IV** 症例紹介 ······ 124
  1. 症例A ······ 124
  2. 症例B ······ 127
  3. 症例C ······ 129

第5章 良性発作性頭位めまい症に対するリハビリテーション

浅井友詞, 川村愛実, Eric G. Johnson

- **I** BPPVの治療とリハビリテーション ······ 138

II 後半規管型 BPPV に対する前庭リハビリテーション……140
1. Canalith Repositioning Treatment（CRT）または Epley 法……140
2. Semont 法または Liberatory 法……142
3. Brandt-Daroff exercise……143
4. 頭部・眼球運動などの前庭刺激……144

III 外側半規管型 BPPV に対する前庭リハビリテーション……144
1. Lempert 法または BBQ Roll……144
2. そのほかの頭位変換治療……144

IV BPPV に対するホームエクササイズ……146
1. Rolling-over maneuver……146

V 前庭リハビリテーションの効果……147

VI 前半規管型 BPPV に対する前庭リハビリテーション……148

第6章　頸部障害のリハビリテーション
浅井友詞, 浅井勇人, Everett B. Lohman

I 頸部障害……152
1. 外傷性頸部症候群……152
2. 姿勢による影響……152
3. 頸部筋疲労……154

II 評価……155
1. 関節可動域……155
2. 固有感覚の評価……159
3. 姿勢安定性の評価……160
4. 視覚検査……161

Ⅲ 頸部リハビリテーション	162
1. プログラム	162
2. 関節可動性の改善	162
3. Gaze stability exercise	165
4. 頸部固有感覚トレーニング	165
5. 姿勢指導	167

第7章　さまざまな前庭トレーニング
浅井友詞，浅井勇人，Everett B. Lohman

Ⅰ 姿勢制御	172
1. 前庭機能	172
2. 視覚と眼球運動	175
3. 体性感覚	179
4. 姿勢戦略	179
5. 歩行における役割	180
Ⅱ 転倒予防に対するトレーニングへの応用	182
1. 加齢が前庭に及ぼす影響	183
2. 高齢者の機能障害	186
3. 日常生活様式	186
4. 高齢者に対するトレーニング	188
Ⅲ スポーツ選手に対するトレーニングへの応用	191
1. 姿勢制御	191
2. 身体のコア機能	192
3. トレーニング方法	193

索引 ········· 201

[動画のご視聴について]
本文内の QR コードをスマートフォンやタブレットなどの端末で読み取ってください．
※本動画配信サービスはあらゆる環境での動作を保証するものではありません．

第1章

前庭系の構造と機能

I 前庭系の構造

1. 内耳の構造

　耳は側頭骨の中に存在し，鼓膜より外側の外耳，鼓膜より奥の耳小骨を含む空洞である中耳，それより深部の内耳に分けられる（図1-1）．
　内耳は，前方より蝸牛，耳石器，三半規管の3つの部分により構成され，内

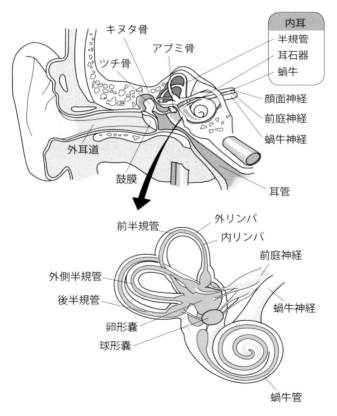

図1-1　半規管の構造
（坂田英治：めまいがわかる．医学同人社，p45，2011.より改変）

部に外リンパを満たし，互いに交通している．その内側には膜迷路が存在し，内部に内リンパを満たしている．

　蝸牛は聴覚をつかさどり，耳石器，半規管は身体のバランスの維持や，体動時の固視の維持に重要な役割を果たす．

2. 前庭の機能と構造

　前庭器は内耳に位置し，蝸牛を除いた半規管と耳石器，およびそれらの一次求心性神経線維である前庭神経で構成され，頭部の動きや傾きを検知する．感覚を受容する細胞は有毛細胞で，リンパの流れや耳石の傾きを受けて，頭部の加速度を感知する．

1）半規管

　半規管は，前半規管・外側半規管・後半規管の3つからなり，それぞれが異なる三次元空間で配置され，身体の回転加速度を感知する．半規管は側頭骨で形成された骨迷路と内部が膜で覆われた膜迷路で構成されている(図1-1)．

　前半規管および後半規管は，矢状面に対して45°の角度をもち，外側半規管は水平面に対して30°傾き，さらにそれぞれが直交している(図1-2)．

　各半規管は2つの脚を有しており，一方は卵形嚢に開口し，その近傍に膨大部を形成している．この膨大部には，クプラと呼ばれるゼリー状の構造物があり，各半規管のリンパの流れによって偏位する．

　クプラの直下には有毛細胞があり，クプラの偏位を感知して回転加速度を検知する(図1-3a)．

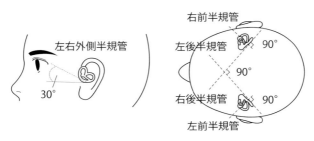

図1-2　半規管の位置

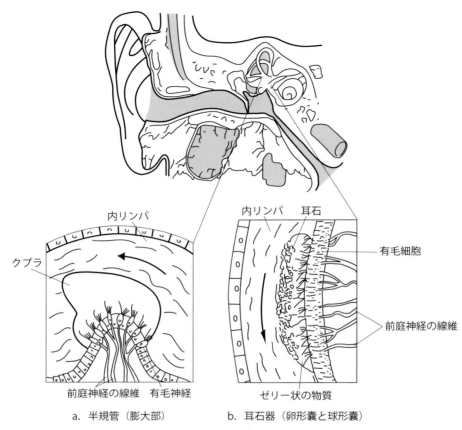

図1-3 半規管と耳石器の働き

2) 耳石器

耳石器（図1-3b）には卵形嚢と球形嚢があり，半規管が回転加速度を検知するのに対し，直線加速度を検知する．卵形嚢は正中位に対してほぼ水平位にあり，水平方向への直線加速度や頭部の傾きを検知する．球形嚢は垂直位にあり，エレベーターで上下する時などの垂直加速度を検知する．卵形嚢および球形嚢は，ともに平衡斑（macula）をもち，有毛細胞をゼラチン状の平衡砂膜で覆い，その上部には炭酸カルシウムの結晶である耳石（otolith）がある．

耳石はリンパに対して比重が重いため，直線加速や傾きの変化により耳石膜

にずれを生じ,それが有毛細胞を刺激することによって重力を感じる(図1-3b).

3) 有毛細胞

前庭器の感覚細胞である有毛細胞は,半規管では膨大部のクプラの下面に,耳石器では平衡斑の下面に存在する.有毛細胞には感覚毛があり,1本の動毛と50~100本の不動毛からなる.この不動毛が偏位することによって,有毛細胞の膜電位が変化し,前庭神経に情報を伝達する.

半規管においては,頭部の動きに対して内リンパは逆方向に流れ,クプラが偏位するのに伴って,有毛細胞の感覚毛の偏位を生じる(図1-4).耳石器においては,上の耳石が直線加速度を受けて偏位するのに伴い,感覚毛の偏位を生じる(図1-5).

4) 血管

前庭を栄養する動脈は,脳底動脈から分かれた前下小脳動脈より分枝した迷路動脈である.迷路動脈は側副血行路のない終動脈であるため,閉塞すると内耳の血流は失われる.迷路動脈は,前半規管膨大部へつながる前前庭動脈と総蝸牛動脈とに分かれ,総蝸牛動脈は前庭蝸牛動脈へと続き,一方では後前庭動脈に分岐する.前前庭動脈は,前・外側半規管と卵形嚢,後前庭動脈は後半規

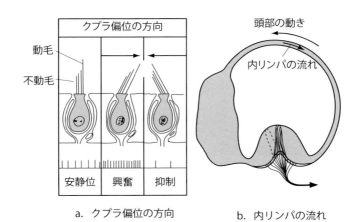

図1-4 有毛細胞
[Bach-Y-Rita P, et al (eds): The control of eye movements. Academic Press, New York, 1971.]

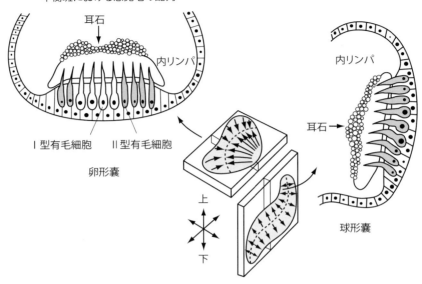

図1-5　平衡斑（卵形嚢，球形嚢）の構造
〔坂井建雄，他（編）：人体の構造と機能．日本医事新報社，pp560-723，2009．〕

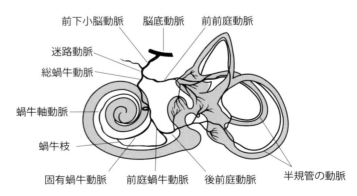

図1-6　前庭の動脈
(Schuknecht HF: Pathology of the Ear. Harvard University Press, 1974.)

管と球形嚢を栄養する（図1-6）．

前庭系の情報伝達経路と機能

　前庭は，前庭動眼反射を通じて眼球運動をコントロールし，頭を動かした際に，ものがぶれて見える（動揺視：oscillopsia）のを防いでいる．また，前庭脊髄反射を通じて，身体のバランスを維持している．大脳の前庭皮質にも情報を送り，空間認知に役立つなど，さまざまな機能を有する．

1. 前庭動眼反射

　頭部を回転させると，半規管がそれを検知し，前庭動眼反射によって，眼球を頭部の動きと反対の方向に動かすことで，固視が維持される．

　頭を左方に回転させると左の外側半規管が興奮し，それが同側の前庭神経核に伝わる．前庭神経核に伝わった情報は，対側の外転神経核に伝わり，対側の外直筋を収縮させ，眼球は右に偏位する（図1-7）．

　前半規管，後半規管も，その面に平行な頭部の運動を検知し，それとは反対方向に眼球を偏位させ，固視を維持する．

2. 前庭脊髄反射

　頭部の動きや傾きを，耳石器・半規管が検知し，前庭脊髄反射を通じて，頸部や四肢・体幹の伸筋に伝えて，身体のバランスを維持する．静止時のバランス維持には主に耳石器が関与し，頭部の回転運動の際には主に半規管が関与する．一側の前庭器は，主に同側の筋緊張を高める作用を有している．

　前庭脊髄反射の経路には，内側前庭脊髄路と外側前庭脊髄路があり，前者は頸部へ出力し，後者は下肢へ出力する（図1-8）．

　前庭脊髄反射には，強い訓練効果がある．

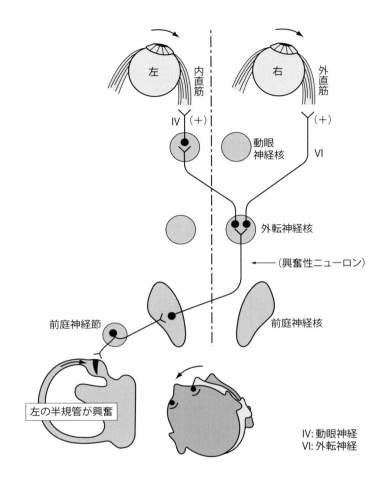

図1-7　前庭動眼反射
頭部を左回転すると眼球は右に偏位する.
〔坂井建雄, 他(編):人体の構造と機能. 日本医事新報社, pp560-723, 2009より改変〕

3. 前庭自律神経反射

　前庭は,自律神経に対する反射経路も有している.前庭神経炎やメニエール病による回転性めまいには,悪心や嘔吐,冷汗などを伴うが,これは前庭自律神経反射によるものである.乗り物酔いによる悪心や嘔吐も,この反射機構に

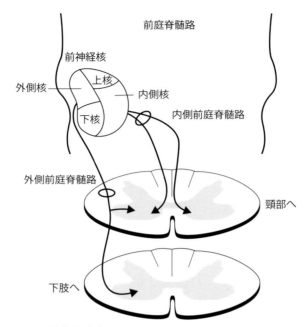

図 1-8　前庭脊髄路
内側前庭脊髄路は頸部へ，外側前庭脊髄路は下肢へ出力する．

よるものである．

4. 小脳の機能

　小脳は，視覚，前庭覚，固有感覚からの感覚情報を受容し，それらの情報を総合的に解析し，四肢・体幹のバランスを制御している．
　小脳が障害されると，運動失調や四肢・体幹の筋緊張の低下を生じる．

5. 大脳の関与

　大脳の頭頂葉から側頭葉にかけて，前庭皮質が存在する．この部分では，前庭からの情報を受け取り，空間認知をつかさどっている．

III 体平衡の維持機構

　立位における体平衡は，視覚，固有感覚，前庭覚の3つの入力を，小脳をはじめとする中枢神経系で処理し，下肢の筋肉へ出力することで維持される（図1-9）.

　したがって，体平衡を維持する系統として，前庭系，固有感覚系，視覚系に大別することができる．以下に，深部知覚系と視覚系の構造と機能について概説する（前庭系についてはII節参照）．

1. 固有感覚系

　体性感覚は，触覚，温度感覚，痛覚の皮膚感覚と，筋肉や腱，関節などに存在する深部感覚からなる．固有感覚は，身体の運動や位置の変化についての情報を伝え，体平衡の維持に役立っている．

　固有感覚受容器からの情報は，脊髄を通して視床に入り，大脳の感覚皮質に到達する．その途中で，脳幹の前庭神経核や網様体，小脳へ分枝を出し，体平衡の制御に関するネットワークを形成している．

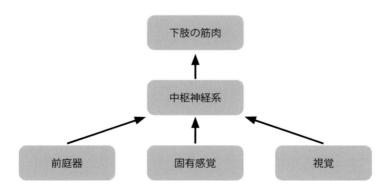

図1-9　体平衡の維持機構

2. 視覚系

　眼底から入る視覚情報は，視床の外側膝状体を経て，大脳の後頭葉にある視覚野に達する．大脳の後頭葉や前頭葉，頭頂葉では，この情報を受けて，眼球運動に関する出力を行う．

　眼球運動は，滑動性眼球運動，急速眼球運動，視運動性眼球運動，前庭性眼球運動に分類される．

①滑動性眼球運動：比較的ゆっくりと動く物体を追跡して，対象から目を離さずに注視し続ける運動である．スムースパーシュート（smooth pursuit）ともいう．

②急速眼球運動：新たな対象物が現れた時に急速に眼球を動かして，網膜の中心窩に捉える運動である．サッケード（saccade）ともいう．

③視運動性眼球運動：走る車の窓から外界の景色を見る時のように，連続的に眼前に現れては視野から去っていく時に生じる眼球運動である．外界の移動につれて，ゆっくりと外界を追視する緩徐相と，眼球が一定の偏位を生じたあとに急速に眼球が反対方向に戻る急速相とで構成され，結果的に眼振（視運動性眼振）を生じる．

④前庭性眼球運動：頭部を動かした際の，前庭動眼反射によって生じる眼球運動である．

IV　前庭代償

　前庭神経炎などの疾患によって一側の末梢前庭機能が障害されると，めまい症状とともに健側向きの著明な眼振，および体平衡障害を生じる．しかし，このような眼振，平衡障害などの症状は，末梢前庭機能が回復しなくても，時間とともに消失する．このような一側前庭障害に起因する平衡障害の自然回復は，前庭代償と呼ばれ，中枢前庭系の神経可塑性に基づく．

　脳幹に存在する前庭神経核ニューロンは，健常な状態では，左右同等の自発発火を行っているが，一側の末梢前庭が障害されると，障害側の前庭神経核の発火は著明に低下する．この左右の前庭神経核ニューロンの活動性の不均衡により，眼振，平衡障害などの症状を生じる（図1-10A）．

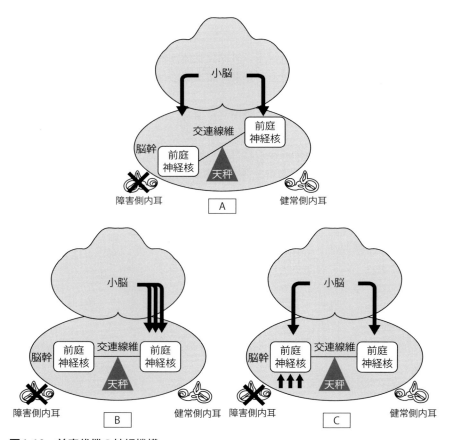

図1-10 前庭代償の神経機構
A. 一側の末梢前庭が障害されると，左右の前庭神経核ニューロンの不均衡が生じる．
B. 前庭代償の初期には，前庭交連線維および前庭小脳からの前庭神経核への抑制機能が変化し，亢進した健側の前庭神経核の活動を抑制し，低下した障害側の前庭神経核の抑制を軽減させる．
C. 前庭代償の後期には，障害側前庭神経核ニューロンの細胞膜特性の変化によって，自発発火が回復する．

　前庭代償の初期には，左右の前庭神経核間の交連線維と小脳からの前庭神経核への抑制入力により，左右の前庭神経核ニューロンの発火の不均衡が是正される（図1-10B）．前庭代償の後期には，低下していた前庭神経核ニューロンの自発発火が，ニューロンの細胞膜特性の変化により回復することで，前庭

代償が完成する（**図1-10C**）．

　前庭代償による平衡機能の回復が不十分な場合，特に体動時の平衡障害が長期にわたって残存する．これを前庭代償不全という．

■ 文　献

1) 切替一郎：新耳鼻咽喉科学 改訂12版. 南山堂, 2022.
2) 野村恭也, 他：耳科学アトラス；形態と計測値 第5版. 丸善出版, 2023.
3) Kandel EB, 他（著）, 宮下保司（日本語監）：カンデル神経科学 第2版. メディカルサイエンスインターナショナル, 2022.
4) Baloh RW, et al: Clinical neurophysiology of the vestibular system, 5th ed. Oxford University Press, 2010.
5) 山中敏彰：前庭代償の薬理. Equilibrium Res 59: 543-555, 2000
6) 北原糺：慢性めまいへの対応；前庭代償不全. 日耳鼻 122：1097-1101, 2019

第 2 章

前庭系の障害

I 前庭神経炎

1. 概要

急激に前庭機能が障害され,激しい回転性めまいで発症する.病因として,ウイルス感染,血流障害との関連がいわれている.発症年齢は40〜50歳代に多い.急性期の嘔気を伴う激しいめまいが落ち着いたら,前庭代償を促進するため,早期より前庭リハビリテーションを開始する.

2. 症状

嘔気・嘔吐を伴う回転性めまいが1日〜数日間続く.数日経過すると,激しい回転性めまいは軽快し,動作時・歩行時の浮動感,ふらつきが数週間続く.難聴・耳鳴などの蝸牛症状や,中枢疾患を疑う麻痺やしびれ,脳神経症状は認めない.

3. 検査所見

- 眼振検査:健側向きの方向固定性の水平性眼振を認める(図2-1).注視眼振が消失した後も,非注視下の眼振が長期に残存することがある.
- Head Impulse Test(HIT):患側で陽性を示す.
- 足踏み検査:患側に偏位することが多い.
- 温度刺激検査:患側の高度反応低下または廃絶を示す.
- Video Head Impulse Test(vHIT):患側で前庭動眼反射の利得(gain)の

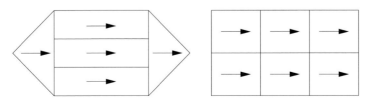

図2-1 右前庭神経炎症例の注視眼振検査,頭位眼振検査

表2-1 前庭神経炎の診断基準（日本めまい平衡医学会，2017年）

A. 症状
　1. 突発的な回転性めまい発作で発症する．回転性めまい発作は1回のことが多い．
　2. 回転性めまい発作の後，体動時あるいは歩行時のふらつき感が持続する．
　3. めまいに随伴する難聴，耳鳴，耳閉感などの聴覚症状を認めない．
　4. 第Ⅷ脳神経以外の神経症状がない．
B. 検査所見
　1. 温度刺激検査により一側または両側の末梢前庭機能障害（半規管機能低下）を認める．
　2. 回転性めまい発作時に自発，および頭位眼振検査で方向固定性の水平性または水平回旋混合性眼振を認める．
　3. 聴力検査で正常聴力，またはめまいと関連しない難聴を示す．
　4. 前庭神経炎と類似のめまい症状を呈する内耳・後迷路性疾患，小脳，脳幹を中心とした中枢性疾患など，原因既知の疾患を除外できる．

◆診断
　前庭神経炎確実例：
　　「A.症状」の4項目を満たし，「B.検査所見」の4項目を満たしたもの．
　前庭神経炎疑い例：
　　「A.症状」の4項目を満たしたもの．

低下，corrective saccade（修正衝動性眼運動）を認める．
- 前庭誘発筋電位検査（Vestibular Evoked Myogenic Potential:VEMP）：患側で反応低下，無反応を示す．

診断基準を**表2-1**に示す．

4. 治療

　急性期は，補液，制吐剤・抗不安薬の投与などの対症療法を行う．ステロイド薬は前庭機能回復や前庭代償を促進する可能性がある．嘔気を伴う激しいめまいが落ち着いたら，早期より前庭リハビリテーションを行う．

5. 前庭リハビリテーション

　超急性期は，めまいに嘔気を伴うために安静を保たざるをえないが，前庭代償を促進させるため，早期より前庭リハビリテーションを開始することが望ましい．

　前庭機能は回復しない症例も多いが，前庭代償が進めば，動作時の浮動感・ふらつきが改善し，日常生活を送ることに支障がなくなるまで回復できるため，前庭リハビリテーションが果たす役割は大きい．

6. その他：急性に前庭障害が生じる他の疾患

1) Ramsay-Hunt症候群

　三主徴は，耳帯状疱疹，第Ⅶ脳神経障害（顔面神経麻痺），第Ⅷ脳神経障害（感音難聴，めまい）で，顔面神経の膝神経節に潜伏感染した水痘帯状疱疹ウイルスの再活性化が原因とされる．

　回転性めまいが多く，前庭神経炎同様の，方向固定性の健側向き水平性眼振を認め，前庭機能検査では，患側の前庭機能低下を示す．前庭機能障害が残存する例では，前庭リハビリテーションのよい適応となる．

2) めまいを伴う突発性難聴

　原因不明の突然発症する高度難聴に，めまいを伴う疾患である．数時間以上継続する回転性めまいを生じ，前庭機能障害が残存すると，前庭リハビリテーションの適応になる．

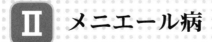 メニエール病

1. 概要

　難聴，耳鳴，耳閉感などの聴覚症状を伴うめまい発作を反復する疾患である．内リンパの産生過剰，または吸収障害により生じた内リンパ水腫が病態である．
　発症誘因として，ストレス，疲労，睡眠不足が多い．女性に多くみられ，両

側例は約10％に認められる．めまい発作を頻繁に繰り返す発作期と，めまい発作のない間欠期があり，めまい発作を繰り返すうちに，難聴や前庭機能障害が不可逆性になる．

動作時・歩行時に浮動感やふらつきが生じるまで進行した場合，前庭リハビリテーションの適応となる．

2. 症状

20分から12時間程度続くめまい発作を繰り返す．めまいの性状は回転性めまいが多いが，浮動性めまいのこともある．

めまい発作に伴い，耳閉感，耳鳴，難聴の蝸牛症状が変動する．

3. 検査所見

- 聴力検査：発症初期は低音障害型感音難聴を示し（図2-2），変動し可逆性であることが多い．めまい発作を繰り返すうちに，全音域の難聴に進行する．
- 注視眼振・頭位眼振検査：めまい発作の急性期には患側向きの刺激性眼振，その後健側向きの麻痺性眼振を認める．いずれも定方向性水平性眼振である（図2-3）．

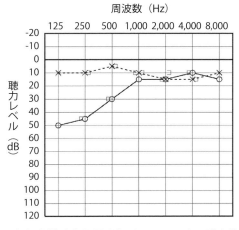

図2-2　右低音域障害を認めたメニエール病の聴力像

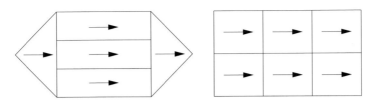

図2-3　注視眼振検査・頭位眼振検査

- 前庭機能検査：初期のメニエール病では，間欠期に行う前庭機能検査で障害を認めないことが多い．進行例では，患側の前庭機能障害を認める．
- 内耳造影MRI検査：蝸牛や前庭が造影欠損像として映し出され，内リンパ水腫の像を示す．

診断基準を**表2-2**に示す．

4. 治療

めまい発作急性期には，安静，補液，制吐剤，抗不安薬などの対症療法を行う．

めまい発作間欠期には，発作予防として，生活指導（疲労・ストレス・睡眠不足の回避，適度な運動の推奨），薬物治療（浸透圧利尿薬）を行う．これらの治療でめまい発作が減少しない場合，中耳加圧治療，内リンパ嚢開放術，ゲンタマイシン鼓室内注入療法が行われる．

5. 前庭リハビリテーション

めまい発作は通常12時間程度までで寛解し，日常生活に速やかに復帰できることが多く，特に前庭リハビリテーションを必要としない．一方，前庭機能障害が進行し，動作時の浮遊感，ふらつきが残存した場合には，前庭代償を促進させるため，前庭リハビリテーションを行う．

表2-2　メニエール病の診断基準（日本めまい平衡医学会，2017年）

A. 症状
　1. めまい発作を反復する．めまいは誘因なく発症し，持続時間は10分程度から数時間程度．
　2. めまい発作に伴って難聴，耳鳴，耳閉感などの聴覚症状が変動する．
　3. 第Ⅷ脳神経以外の神経症状がない．
B. 検査所見
　1. 純音聴力検査において感音難聴を認め，初期にはめまい発作に関連して聴力レベルの変動を認める．
　2. 平衡機能検査において，めまい発作に関連して水平性または水平回旋混合性眼振や体平衡障害などの内耳前庭障害の所見を認める．
　3. 神経学的検査において，めまいに関連する第Ⅷ脳神経以外の障害を認めない．
　4. メニエール病と類似した難聴を伴うめまいを呈する内耳・後迷路性疾患，小脳，脳幹を中心とした中枢性疾患など，原因既知の疾患を除外できる．
　5. 聴覚症状のある耳に，造影MRIで内リンパ水腫を認める．

◆診断
　・確定診断例：「A.症状」の3項目を満たし，「B.検査所見」の5項目を満たしたもの．
　・確実例：「A.症状」の3項目を満たし，「B.検査所見」の1〜4の項目を満たしたもの．
　・疑い例：「A.症状」の3項目を満たしたもの．

6. その他：メニエール病の類縁疾患

遅発性内リンパ水腫

　高度の感音難聴が先行し，数年から数十年後にめまい発作を反復する疾患．高度感音難聴耳の内耳に続発性内リンパ水腫が生じ，めまい発作が発症すると推定されている．治療はメニエール病に準ずる．

III 良性発作性頭位めまい症

1. 概要

卵形嚢の平衡斑から剝がれた耳石が，半規管内に迷入することで発症する．頭位変換による重力の変化で，クプラが偏位することでめまいが生じる．

耳石が半規管内を浮遊している半規管結石症と，耳石がクプラに付着するクプラ結石症に分けられ，後半規管型と外側半規管型がほとんどである（図2-4〜6）．起き上がった時，寝返りをした時など，特定の頭位をとることでめまいが誘発され，数秒から1分程度続く．

耳石置換療法を行い，卵形嚢に耳石を戻すことで治癒する．内耳性のめまいのなかで最も多い．女性に多く，全年齢に発症するが，高齢者（50〜70歳代）に多い．

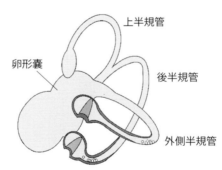

図2-4　内耳前庭器官

図2-5　半規管結石症

図2-6　クプラ結石症

2. 症状と検査所見

1) 後半規管型（図2-7）

症状は，主に起き上がった時，仰向けに寝た時に，数秒から1分以内程度継続する回転性めまいを認める．安静を保てばめまいはおさまるが，再度同様の動作を行うと，回転性めまいを生じる．

右が患側の場合，頭位変換眼振検査にて，懸垂頭位にすると，数秒の潜時後に，右向き回旋性眼振と上眼瞼向き眼振を，数秒から1分程度認める．次第に減衰し，消失する．その後，座位になると，方向が交代し，左向き回旋眼振と下眼瞼向き眼振を認める．検査を繰り返すと，眼振を認めにくくなる（疲労現象）．

2) 外側半規管型・半規管結石症（図2-8）

症状は，主として頭位を右下，左下にした際に回転性めまいを認め，その頭位を維持すると，次第にめまいがおさまる．再度頭位を変換すると，同様のめまいを認める．

右が患側の場合，頭位眼振検査にて，右下頭位で右向き水平性眼振，左下頭位で左向き水平性眼振（方向交代性下向性眼振）を認め，それぞれ減衰する．眼振の強さは，右下頭位のほうが強い．

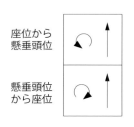

図2-7 右後半規管型BPPVの眼振

図2-8 右外側半規管型半規管結石症の眼振

図2-9 右外側半規管型クプラ結石症の眼振

3) 外側半規管型・クプラ結石症(図2-9)

症状は，主として頭位を右下，左下にした際に回転性めまいを認め，その頭位を維持し続ける間，めまいが継続する．

右が患側の場合，頭位眼振検査にて，右下頭位で左向き水平性眼振，左下頭位で右向き水平性眼振（方向交代性上向性眼振）を認める．左下頭位での眼振のほうが強い．潜時はほぼなく，減衰せず，その頭位を維持し続ける間，眼振が継続する．

3. 治療

耳石置換療法を行い，半規管内の耳石を卵形嚢に戻すことで治癒する．

4. 前庭リハビリテーション

寝返り運動などの非特異的な頭部運動のみでも治癒する例は少なくないが，耳石の迷入した半規管を特定して，半規管特異的な耳石置換療法を行うことが望ましい．

耳石置換療法の際には，めまいを誘発するため，患者に十分に説明をしたうえで行う．高齢者などで頸椎疾患がある症例では，頸部の伸展が困難な場合があり，無理をせず愛護的に，頸椎に負担のかからない方法で行う必要がある．

患者はめまいが誘発されるのを恐れ，できるだけ頭部を動かさないようにしようとするが，動かさないでいることは治癒を遅らせ，逆効果である．

耳石置換療法の詳細については，第5章 良性発作性頭位めまい症に対するリハビリテーションを参照．

両側前庭機能障害

1. 概要

左右の末梢前庭がともに障害されることを両側前庭機能障害という．一側の障害であれば，前庭代償が働くため，めまい感やふらつきなどの症状は徐々に

軽快する．一方，両側前庭機能障害では，前庭代償が働かないため，体動時のめまいやバランス障害，体動時の動揺視（物が揺れて見える：Jumbling現象）などの症状が慢性的に持続する．

　本疾患を有する患者は，暗所や足場の悪い場所で，特にふらつきが悪化しやすい．両側前庭機能障害患者の転倒リスクは，健常者の30倍，一側前庭機能障害患者の約10倍にのぼり，日常生活で大きな不自由を強いられる．

2. 症状

　体動時のふらつきやバランス障害，動揺視（Jumbling現象）を認める．静止時にはめまい症状を認めない．また，視覚情報が不十分となる暗所，深部知覚情報が減少する不安定な床面ではふらつきが悪化する．

3. 検査所見

- 温度刺激検査：両側の高度反応低下または廃絶を示す．
- Head Impulse Test（HIT）：両側で陽性を示す．
- Video Head Impulse Test（vHIT）：両側で前庭動眼反射の利得の低下，corrective saccadeを認める．
- 前庭誘発筋電位検査（Vestibular Evoked Myogenic Potential：VEMP）：両側で反応低下，無反応を示す．
- 両側前庭機能障害の診断基準を表2-3に示す．

4. 治療

　前庭機能障害の原因となった疾患の治療を優先させるが，前庭代償促進を期待して，早期より前庭リハビリテーションを開始する．

5. 前庭リハビリテーション

　現在の医療では，前庭リハビリテーションのみが有効な治療である．前庭機能がわずかでも残存していれば，前庭代償による改善が期待できるが，廃絶している場合は前庭代償が働きにくいため，一側前庭機能障害と比較し，前庭リ

表 2-3　両側前庭機能障害の診断基準

A.	慢性の前庭症状のうち，1 および 2，3 のうち少なくとも 1 つを満たす． 1. 歩行あるいは立位における不安定感 2. 歩行あるいは急な体動で，視野がぼやける，あるいは動揺視 (jumbling 現象) を認める． 3. 暗い場所や平らでない地面で不安定感が悪化する．
B.	座位あるいは臥位の静止時には無症状
C.	以下で示される両側前庭動眼反射の低下 ・Video Head Impulse Test (vHIT) 検査あるいはサーチコイルを用いた前庭動眼反射の利得が 0.6 未満 および／あるいは ・冷温交互による温度刺激検査の最大緩徐相速度の一側の和 (冷＋温) が，6℃/秒以下 および／あるいは ・振子様回転検査 (0.1Hz, 最大角速度 50 度/秒) における前庭動眼反射の利得が 0.1 未満
D.	他の疾患で説明できない．

(Strupp M, et al: Diagnostic criteria for bilateral vestibulopathy: Consensus document of the Classification Committee of the Bárány Society. J Vestib Res 27(4): 177-189, 2017.)

ハビリテーションの効果は限定的である．
　ふらつきが強く残存する場合，杖などの補助具の使用を勧める．

心理的要因によるめまい，持続性知覚性姿勢誘発めまい

1. 概要

　めまいは，心理的要因に関連して生じることが知られている．うつ病や不安障害などの精神科的疾患の一症状としてめまいを訴えることがあるだけでなく，器質的めまい疾患においても，めまい症状への不安などをきっかけとして，器質的疾患では説明がつかないようなめまい症状が生じ，心理的要因によるめまいを合併することもある．そして，めまいと不安が双方向に影響することで，

悪循環を形成する．その場合，どちらか一方の治療ではなく，めまい症状と精神的症状の両方を治療することが望ましい．

めまい症状に対して行われる前庭リハビリテーションは，めまい症状を誘発するため，めまいに対する恐怖や不安をもつ患者にとっては苦痛を伴う．理学療法士などの医療者によるサポートが，前庭リハビリテーションを順調に進めるうえで重要である．

器質的疾患でも精神科的疾患でもない機能性めまい疾患として，持続性知覚性姿勢誘発めまい（Persistent Postural-Perceptual Dizziness：PPPD）がある（表2-4）．その有効な治療の1つとして，前庭リハビリテーションが挙げられている．PPPDの病態としては，何らかの急性のめまい症状を発症した際に，そのめまいに対応するために生ずる視覚依存や体性感覚依存が，急性めまいが改善した後も過剰に反応し続けることにより，PPPDのめまいが完成されていくとされている．若年者のめまいのなかで頻度は高く，生活に支障をきたす社会的損失が大きい疾患である．

以下では，PPPDについて解説する．

2. 症状

浮動感，不安定感，非回転性めまいが3カ月以上持続しており，立位・歩行，動作，視覚刺激によりめまい症状が増悪する．1日のなかでは，さまざまな増悪因子に触れ，夕方など時間が進むにつれ，症状が増悪する．

3. 検査所見

- 本疾患特有の前庭機能検査異常は認めない．
- 本疾患に先行する前庭疾患による前庭障害を認める症例がある．
  PPPDの診断基準を表2-4に示す．

4. 治療

薬物治療（SSRI：選択式セロトニン再取り込み阻害薬，SNRI：セロトニン・ノルアドレナリン再取り込み阻害薬），前庭リハビリテーション，認知行動療法が，有効な治療として報告されている．

表2-4 持続性知覚性姿勢誘発めまい（PPPD）の診断基準
◆以下の5つの基準をすべて満たすことが必要

A. 浮動感，不安定感，非回転性めまいのうち，1つ以上が3カ月以上，ほとんど毎日存在する．
   ・症状は時間単位で持続する．増悪・軽快がみられることがある．
   ・1日中持続的に存在するとは限らない．
B. 以下の3つの増悪因子のいずれにおいても，めまい症状が増悪する．
   1. 立位姿勢
   2. 能動的あるいは受動的な動き
   3. 動いているもの，あるいは複雑な視覚パターンを見たとき
C. めまい，浮動感，不安定感を引き起こす病態，急性・発作性・慢性の前庭疾患，他の神経学的または内科的疾患，心理的ストレスによる平衡障害が先行して発症する．
D. 顕著な苦痛あるいは機能障害を引き起こしている．
E. 他の疾患や障害ではうまく説明できない．

(Staab JP, et al: Diagnostic criteria for persistent postural-perceptual dizziness (PPPD): Consensus document of the committee for the Classification of Vestibular Disorders of the Bárány Society. J Vestib Res 27(4):191-208, 2017.)

5. 前庭リハビリテーション

　前庭リハビリテーションを行う前に患者に対して，PPPDの病態，そして器質的に異常はなくめまいを感じていても重大な病気が隠れているわけではないことなどを説明し，十分にPPPDについて理解を得ることが必要である．

　PPPDは，立位・歩行，さまざまな動作により症状が悪化するのが特徴であり，前庭リハビリテーションそのものが，めまい症状を一時的に増悪させることになる．めまいによる生活の支障を減らすことや，めまいを感じてもさまざまな動作が問題なく行えるようになることを目標とし，そのためには，一時的なめまいの増悪も必要であることを患者と共有する．また，めまい症状が強くなった際は，一時的に休息をとるのも悪いことではないことも説明する．

　PPPDの患者は，めまいに対する不安が強いため，前庭リハビリテーションによって，一時的にめまい感が悪化することに対して消極的となりやすく，1人では取り組めない場合も少なくない．前庭リハビリテーションを順調に進めるために，理学療法士をはじめとした医療者のサポートが重要である．

Ⅵ めまいを生じる中枢疾患：小脳・脳幹梗塞，椎骨脳底動脈循環不全

1. 概要

　小脳・脳幹を支配する血管が閉塞し，支配領域の脳組織が壊死に陥ることを小脳・脳幹梗塞という．また，それらの血管が，血栓などによって一時的な血流障害を起こすことを，椎骨脳底動脈循環不全という．

　小脳は，上小脳動脈（Superior Cerebellar Artery：SCA），前下小脳動脈（Anterior Inferior Cerebellar Artery：AICA），後下小脳動脈（Posterior Inferior Cerebellar Artery：PICA）の3つの血管により支配されている．それぞれの血管が閉塞すると支配領域の脳細胞が壊死に陥り，機能障害をきたすことで，特徴的な症状が発現する．

　めまい症状に加えて，頭痛や呂律不良，四肢や体幹の失調，意識消失など，末梢前庭性めまいでは説明できない症状を伴う．心疾患，高血圧，高脂血症，糖尿病などの危険因子をもつ症例が多い．

　拡散強調MRI（Diffusion MRI）が，早期診断に有用である．めまい・ふらつきが後遺症として残存した場合，前庭リハビリテーションの適応となる．

2. 症状・検査所見

　左右の椎骨動脈は頭蓋内で合流して，1本の脳底動脈となる．これらを総称して，椎骨脳底動脈系という（図2-10）．これらの血管は小脳・脳幹の栄養血管であり，これらが閉塞し，小脳や脳幹の脳細胞が壊死に陥ることを，それぞれ小脳・脳幹梗塞という．梗塞の原因となる血管によって特徴的な症状が発現する（図2-11）．

1）上小脳動脈（SCA）領域の梗塞
　患側の上下肢の運動失調と小脳性の構音障害を生じる．めまいを訴えるにもかかわらず，注視眼振や頭位眼振を認めることは少ない．

2）前下小脳動脈（AICA）領域の梗塞
　患側の上下肢の運動失調に加えて，患側の顔面神経麻痺や，めまい，難聴を

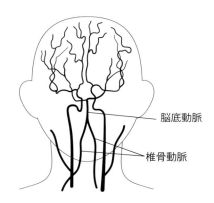

図2-10 椎骨・脳底動脈

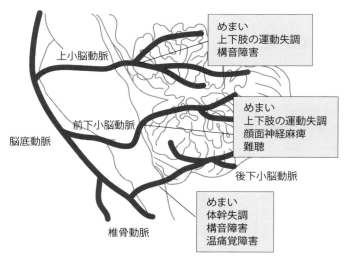

図2-11 小脳脳幹の血管と各血管支配部の梗塞による症状

生じる(AICA症候群)．末梢前庭の障害をきたすので，健側向きの水平回旋混合性眼振を認めることが多い．

3) 後下小脳動脈 (PICA) 領域の梗塞

延髄まで梗塞が及べば，構音障害や健側の温痛覚障害などを生じる (Wallenberg症候群)．延髄に梗塞が及ばなかった場合は，四肢の運動失調や構音障害は生じず，著しい体幹失調のみを生じる．

4) 椎骨脳底動脈循環障害 (Vertebrobasilar Insufficiency：VBI)

椎骨脳底動脈領域の一時的な血流障害によって，小脳梗塞の症状が出るが，多くは1時間以内に消失する．VBIによるめまいは，一般に回転性めまいが多いが，浮動性のこともある．発作の持続時間は10分以内のものが多い．めまいの際には，運動障害や感覚障害，頭痛などの中枢神経系の症状を伴うことが多い．

小脳・脳幹梗塞の診断には，画像検査が必須であるが，CTでは脳幹梗塞の診断は困難で，MRIによる検査が必須である．VBIは，画像検査では異常所見を認めないことが多い．

3. 治療

小脳・脳幹の梗塞が確認された場合，脳梗塞急性期の血栓溶解療法 (t-PA静注療法) などの治療が，迅速に行われる．

めまい，ふらつきなどの後遺症が残存した場合，前庭リハビリテーションを行う．

4. 前庭リハビリテーション

急性期治療が終了後，安静が解除されたら，早期に始めるのがよい．末梢前庭性めまい疾患と比較し，めまい以外にも後遺症を残している可能性がある．体幹失調への配慮，杖など補助具を用いるなど，工夫が必要となる場合もある．

VII 加齢

1. 概要

　体平衡は，視覚，固有感覚，前庭覚の3つの入力を，小脳をはじめとする中枢神経系で統合処理し，下肢の筋肉等の運動器を介して出力することで維持されているが，加齢によりこれらの平衡維持にかかわる機能は，さまざまな程度に生理的な変化を生じる（図2-12）．さらに，内科疾患（高血圧，糖尿病，脳梗塞など），眼科疾患（視力低下など），整形外科疾患（変形性関節症，変形性脊椎症，サルコペニアなど），心因的な要素なども加わり，高齢者におけるめまいの原因は，多因性であるのが特徴である．

　また，加齢とともに転倒の頻度は増えるが，転倒経験者では高率に前庭機能障害を認めるとされており，後述する診断基準を満たすものを特に「加齢性前庭機能障害」と呼ぶ．高齢者において，めまいや姿勢不安定性へのケアは重要であり，前庭リハビリテーションが有用である．

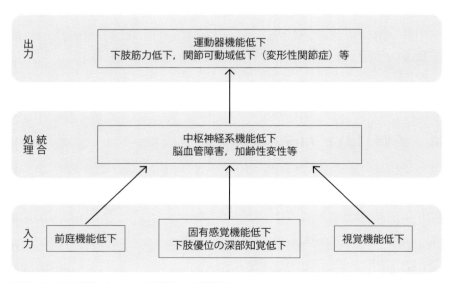

図2-12　体平衡にかかわる加齢による障害

2. 検査・診断

　詳細な問診により，前庭機能障害の既往，脳血管障害の既往，常用薬（中枢神経系作用薬，降圧薬等）を聴取し，原因を探ることが重要である．一般的に視標追跡検査，深部知覚（振動覚）閾値測定，重心動揺検査は，高齢者では機能が低下しており参考所見となる．

3. 加齢性前庭機能障害の診断基準

　60歳以上で3カ月以上続く慢性のめまいやふらつきなどの症状を認めるもので，両側前庭機能障害と比較し，前庭障害の程度は軽度である．前庭機能が残存しており，前庭リハビリテーションのよい適応である（表2-5）．

4. 前庭リハビリテーション

　前庭リハビリテーションは有効であるが，訓練に先立ってリハビリテーショ

表2-5　加齢性前庭機能障害の診断基準

A.	3カ月以上続く慢性の前庭症状で，次のうち少なくとも2つを認める． 1. 姿勢のアンバランスあるいは不安定感 2. 歩行障害 3. 慢性の浮動感 4. 繰り返す転倒
B.	以下のうち，少なくとも1つを満たす軽度の両側性前庭機能低下を認める． 1. Video Head Impulse Test（vHIT）検査における前庭動眼反射の利得が両側とも0.6〜0.83 2. 振子様回転検査（0.1Hz, 最大角速度50〜60度/秒）にて前庭動眼反射の利得が0.1〜0.3 3. 冷温交互による温度刺激検査の最大緩徐相速度の一側の和（冷＋温）が6〜25℃/秒
C.	60歳以上
D.	他の疾患で説明できない．

（Agrawal Y, et al: Presbyvestibulopathy: Diagnostic criteria Consensus document of the classification committee of the Bárány Society. J Vestib Res　29(4): 161-170, 2019.）

ンを行う能力について評価し，転倒の危険性などを十分に配慮したうえで，継続して実施可能な負荷から徐々に開始することが重要である．また，リハビリテーションに取り組んだ量に比べて効果が現れにくい傾向があるため，意欲や継続の動機づけも大切である．

 その他：聴神経腫瘍，起立性調節障害，動揺病

1．聴神経腫瘍

1）概要

第VIII脳神経由来の良性腫瘍で，その約90％が前庭神経を起源とする．初発症状は一側性の進行性や突発性の感音難聴，耳鳴等の聴覚障害が主で，平衡機能障害を訴えることは少ない．

2）検査・診断

一側性の進行性感音難聴を認めた場合に，鑑別のため小脳橋角部をターゲットとしたMRIを施行し腫瘤を同定する．前庭機能障害や起源神経（上・下前庭神経）の同定には，カロリックテスト，VEMPが参考となる．

3）治療

治療方針は，年齢，腫瘍の大きさ，聴力の程度により経過観察，手術治療，放射線治療が選択される．通常，腫瘤の増大がきわめて緩徐であるため中枢代償が働き，めまいの自覚症状は少ないとされているが，代償が不十分な症例では前庭リハビリテーションが有効である．

まれな疾患ではあるが神経線維腫症II型では両側聴神経腫瘍を高頻度に認め，この場合の両側前庭機能障害に対する前庭リハビリテーションの効果は限定的である．

2. 起立性調節障害

1) 概要
臥位や座位から立位となる際に，重力の影響で静脈血が下肢や腹部内臓系へ移動し，心臓への還流血液量が減少するために血圧が変動し，めまいや失神，転倒を引き起こす病態である．高齢者，思春期に多く認め，前者では，高血圧，心疾患，脱水，糖尿病による二次性自律神経障害や薬剤性が多い．

誘発要因として，食事，飲酒，入浴，運動，排泄などがあり，特に注意が必要である．

2) 検査・診断
診断には起立試験が用いられる．10分間の安静臥位の後に，血圧と脈拍を測定し，その後，臥位から急速起立時，起立5分後に，それぞれ血圧と脈拍を測定する．起立後の血圧低下が収縮期20mmHg以上，拡張期10mmHg以上認めた場合，脈圧が16mmHg以上低下した場合，5分以内の脈拍が30回/分以上増加した場合に，陽性と診断される．

3) 治療
弾性ストッキング着用，誘因の回避を行う．重症の場合はα刺激薬が有効である．

3. 動揺病

1) 概要
乗り物による動揺（不規則な体の位置，揺れ，スピードの変化など）は，前庭で加速度刺激として感知される．中枢で処理される過程において，景色の移動による視覚刺激などとズレが生じると，自律神経系が病的に反応し，吐き気，嘔吐，冷や汗，顔面蒼白，めまいなどをもたらすとされている．

誘発因子として，睡眠不足，空腹，嗅覚からの不快刺激（換気不足，食品の匂い），過去の乗り物酔いの記憶などの心理的要因が考えられている．学童期から思春期に頻度が高く，年齢と共に徐々に緩和されるが個体差がある．

2) 治療

症状出現前の予防投薬が有効である．普段から，加速度耐性の訓練のためにブランコ，鉄棒，トランポリンなどで慣らすことが有効である．

■ 文 献

1) 日本めまい平衡医学会（編）：前庭神経炎 診療ガイドライン 2021年版．金原出版，2021.
2) 日本めまい平衡医学会（編）：メニエール病・遅発性内リンパ水腫 診療ガイドライン 2020年版．金原出版，2020.
3) Strupp M, et al: Diagnostic criteria for bilateral vestibulopathy: Consensus document of the Classification Committee of the Bárány Society. J Vestib Res 27(4): 177-189, 2017.
4) Staab JP, et al: Diagnostic criteria for persistent postural-perceptual dizziness (PPPD): Consensus document of the committee for the Classification of Vestibular Disorders of the Bárány Society. J Vestib Res 27(4):191-208, 2017.
5) Agrawal Y, et al: Presbyvestibulopathy: Diagnostic criteria Consensus document of the classification committee of the Bárány Society. J Vestib Res 29(4): 161-170, 2019.

第 3 章

前庭リハビリテーションを
行う際に必要な評価

めまい・平衡障害の検査と評価法の種類および注意事項

1. 評価法の種類

　めまいに対する検査は，①身体運動の検査，②眼球運動の検査，③内耳機能検査，④関連諸検査の4種類の平衡機能検査に大別され，さまざまな検査が行われている．これらの検査は診断を目的として行われるが，効果的な前庭リハビリテーションを施行するためには，各検査を理解しておく必要がある（**表3-1**）．前庭障害の診断に関する検査の詳細は，成書を参考にされたい[1]．

表3-1　一般的に行われている平衡機能検査の一覧

ルーチン平衡機能検査（一次検査）	体平衡状態の検査（前庭−脊髄反射）	直立検査，足踏み検査，遮眼書字検査，歩行検査
	眼球運動検査（前庭−眼反射）	自発眼振検査，注視眼振検査，異常眼球運動の検査，頭位眼振検査，頭位変換眼振検査，赤外線フレンツェルによる観察と記録，頭振り眼振検査
精密平衡機能検査（二次検査）	体平衡状態の検査（前庭−脊髄反射）	定量的歩行検査，重心動揺検査
	眼球運動検査（前庭−眼反射）	電気眼振図検査，ビデオ眼振図検査（自発眼振検査，注視眼振検査，追跡眼球運動検査，急速眼球運動検査，視運動性眼振検査，視運動性後眼振検査）
	迷路刺激検査	温度刺激検査（エアーカロリックテスト），Visual suppression test，回転刺激検査，OVAR検査，眼球反対回旋検査，圧刺激検査，前庭誘発筋電位（cVEMP, oVEMP），Head Impulse Test（HIT, vHIT），自覚的視性垂直位（SVV）聴覚検査
	聴覚検査	純音聴力検査，耳音響放射（OAE），蝸電図（ECoG），聴性脳幹反応検査（ABR）

（日本めまい平衡医学会：「イラスト」めまいの検査 改定第3版．診断と治療社，2018．）

2. 評価を行う際の注意事項

1) 主治医との連携

　前庭障害によるめまいや姿勢不安定性などの症状は，軽度から重度，突発的に発症するものから慢性的なものまでさまざまであり，めまいやふらつきに対する不安が強い．活動制限(ひきこもりやうつ症状)などの心理社会的問題を引き起こすと症状が増悪し，めまいの悪循環に陥る．したがって，セラピストは病状や治療経過，発症の原因などを十分に把握しておく必要がある．

　前庭リハビリテーションでは，頭位変換や頭部運動などによりめまいを誘発するため，患者が拒否する場合がある．そこで処方時の医師による患者への説明は重要である．また処方薬の副作用や睡眠障害，精神疾患など，さまざまな併存疾患が前庭リハビリテーションの阻害因子となることもあり，それらの情報を確認する必要がある．

表3-2　評価の際に注意すべき症状

しびれ
麻痺
言語障害
進行性の聴覚異常(聞こえなくなる)
振戦
協調性の低下
上位運動ニューロンの異常
　・バビンスキー反射の出現
　・痙性
　・クローヌス
意識消失
固縮
視野欠損
記憶消失
脳神経異常
評価2週間後においても裸眼での自発眼振が認められる
回旋を伴わない純粋な垂直方向の眼振

(Whitney SL, et al: Physical therapy assessment of vestibular hypofunction. Herdman SJ (ed): Vestibular rehabilitation, 3rd ed. F.A. Davis, pp228-260, 2007.)

2）リスク管理

患者は，めまい感，ふらつき感などのさまざまな症状を訴えるが，なかには中枢神経性障害〔一過性脳虚血発作（Transient Cerebral Ischemic Attack：TIA）や，小脳・脳幹などの出血や梗塞〕が新たに併発している可能性もある．したがって，中枢神経性症状などが確認された場合は，前庭リハビリテーションを中止し，直ちに主治医に報告する必要がある．注意すべき症状を表3-2に示す．

II 前庭リハビリテーション領域における評価

前庭リハビリテーションの評価は，主観的評価と客観的評価に分けられる（表3-3）．

1. 前庭リハビリテーションを行う際に必要な主観的評価法

1）問診

めまいの持続時間や出現する頻度，場所，姿勢などを詳細に行う．また，既往歴に糖尿病，高血圧，心疾患，貧血，結核，甲状腺疾患，中耳炎，頭部外傷がないかを確認する必要がある．さらに，薬物服用に関する情報も必須であり，内耳毒性薬物，降圧剤，精神安定剤，抗糖尿病薬，抗てんかん薬に注意する[1]．問診の一例を表3-4に示す．

問診以外にも，主観的な障害の程度を把握するために，Visual Analogue Scale（VAS），Dizziness Handicap Inventory（DHI），Activities-Specific Balance Confidence Scale（ABC Scale），Vertigo Symptom Scale-Short Form（VSS-sf）が多く用いられている．

一方では，めまいを訴える患者は高い頻度で不安症などの心因性の問題を抱えており，心因性の問題のある患者は，温度刺激検査（カロリックテスト），回転椅子検査，重心動揺検査に異常値を示すことがある．Clarkら[2]は精神問題をもちめまいを訴える患者ほど，前庭障害を有さない場合であっても身体の機能的な障害が強いことを報告している．また，心因性の問題がある人は前庭

表3-3 前庭リハビリテーション領域における評価

主観的評価	問診，VAS，DHI，ABC Scale，VSS-sf，心理評価など
眼球運動および前庭動眼反射の評価	眼振（自発眼振），滑動追従運動，衝動性眼球運動，HIT，DVA，頭振り眼振検査
感覚検査	関節覚，振動覚
協調性検査	鼻指鼻試験，膝打ち試験，踵膝試験など
関節可動域検査	四肢，頸部
筋力	四肢
姿勢の評価	座位，立位の前後・左右のアライメント
頭位眼振	座位，臥位
頭位変換検査	Dix-Hallpike test，Side lying test，Roll test
動きの感受性の検査	MSQ
静的バランス	両脚直立検査，マン検査，単脚直立検査，重心動揺検査
感覚を変化させた時のバランス	SOT，MCT，ADT，mCTSIB
動的バランス	足踏み検査，ファンクショナルリーチテスト，BBS，The five times sit to stand test，FSST
移動機能の評価	TUG，DGI，FGA

リハビリテーションの治療効果が少ないと報告されており[3]，前庭リハビリテーションを進めるうえで精神面をある程度把握する必要がある．評価法としてはDHIやHospital Anxiety and Depression Scale(HADS)，Self-Rating Depression Scale(SDS)，State-Trait Anxiety Inventory(STAI)などが使用されている．

2) めまい・ふらつきの重症度評価に用いる評価
(1) Visual Analogue Scale (VAS)

VASは，最悪，最高，および現在の全般的なめまい症状を聴取できる．主観的な質問から多くの情報を入手し，適切な前庭評価を選択する手がかりをつかめる．

過去数日で最悪の症状を0～10，過去数日で最高の症状を0～10，現在の症状を0～10でそれぞれ聴取し，問診と合わせて症状を把握する．

表3-4 問診の例

・あなたはめまいを感じますか？（ぐるぐる回るめまい） 「はい」と答えた方　めまいはどのくらい続きますか？	はい	いいえ
・最後にめまいを感じた時はいつですか？		
・めまいは		
自発的に起こりますか？	はい	いいえ
動きにより起こりますか？	はい	いいえ
姿勢を変えることにより起こりますか？	はい	いいえ
・バランスがくずれ倒れそうになったことはありますか？	はい	いいえ
「はい」と答えた方		
いつも感じますか？	はい	いいえ
動きにより感じますか？	はい	いいえ
姿勢を変えることにより感じますか？	はい	いいえ
疲れた時にひどくなりますか？	はい	いいえ
夜にひどくなりますか？	はい	いいえ
外出時に感じますか？	はい	いいえ
床が不安定な時に感じますか？	はい	いいえ
・どんな時にバランスがくずれ倒れそうになりますか？		
横になる時	はい	いいえ
座っている時	はい	いいえ
立っている時	はい	いいえ
歩いている時	はい	いいえ
・今までに転倒したことはありますか？	はい	いいえ
「はい」と答えた方		
どのような状況でしたか？		
どのくらいの頻度で転倒しますか？		
けがをされたことはありますか？		
・歩く際によろめいたりつまづいたりしますか？	はい	いいえ
・歩く際にどちらかに傾きますか？	はい	いいえ
「はい」と答えた方	右側	左側

(2) Visual Vertigo Analogue Scale (VVAS)[4]

視覚による9項目の環境下でのめまいの程度を測定する評価である（**表3-5**）．
10cmの直線で一方を0（めまいなし），他方を10（限界のめまい）として，現在のめまいを自覚する位置に患者が印をつける．ゼロ地点からの長さを判定する．症状の重症度は，スコアが0〜3の場合に軽度，4，5で中等度，6〜10で重度と

表 3-5　VVASの項目

①スーパーマーケットでの歩行
②乗車する（運転者としてではなく同乗者として）
③蛍光灯の下
④交差点
⑤ショッピングセンター内
⑥エスカレーターに乗る
⑦映画館での鑑賞
⑧柄のある床
⑨テレビを見ているとき

評価する．

VVASは，次項のDHIと正の相関（54％）を示し，DHIスコアが高いほどVVASのスコアが高い．

(3) Dizziness Handicap Inventory (DHI)[5,6]

DHI（表3-6）は，前庭障害におけるQOLの評価や，治療効果を判定する目的で用いられる．この評価法は，身体面（physical：7項目），感情面（emotional：9項目），機能面（functional：9項目）の3つのカテゴリーからなり，全25項目の質問が不規則に配置されている．方法は，問診票への自己記入方式で，質問への回答は「はい」（4点），「時々」（2点），「いいえ」（0点）の3段階である．

DHIでは身体的な障害の把握だけではなく，心理面の把握も可能である．総合得点で0～30点を軽症，31～60点を中等症，61点以上を重症と分類する[7]．

DHIは，片脚立位などのバランス機能や歩行機能と関連性があり[8]，それらの機能を予測する際にも有効な評価法である．

(4) Vertigo Handicap Questionnaire (VHQ)[9]

Vertigo Handicap Questionnaire（VHQ）（表3-7）は，日常生活上での問題点に関する26項目の質問からなり，患者がめまいにより生じている生活上の制限を反映している．各質問への回答は5つの選択肢（0～4点）から選び，合計点が高いほど多くの問題があることを示している．

表3-6 Dizziness Handicap Inventory（DHI）

お名前 _____　　記載日　　年　　月　　日

この調査は，あなたがめまいによって，日常生活上どのような支障をきたしているかを知ることにあります．それぞれの質問に「はい」「時々」「いいえ」のどこにあたるか○をしてください．

1P	上を向くと，めまいは悪化しますか？	はい　時々　いいえ
2E	めまいのために，ストレスを感じますか？	はい　時々　いいえ
3F	めまいのために，出張や旅行などの遠出が制限されていますか？	はい　時々　いいえ
4P	スーパーマーケットなどの陳列棚の間を歩く時に，めまいが増強しますか？	はい　時々　いいえ
5F	めまいのために，寝たり起きたりする動作に支障をきたしますか？	はい　時々　いいえ
6F	めまいのために，映画，外食，パーティーなどで外出することを制限していますか？	はい　時々　いいえ
7F	めまいのために，本や新聞を読むのが難しいですか？	はい　時々　いいえ
8P	スポーツ，ダンス，掃除や皿を片づけるような家事などの動作でめまいが増強されますか？	はい　時々　いいえ
9E	めまいのために，1人で外出するのが怖いですか？	はい　時々　いいえ
10E	めまいのために，人前に出るのが嫌ですか？	はい　時々　いいえ
11P	頭をすばやく動かすと，めまいが増強しますか？	はい　時々　いいえ
12F	めまいのために，高いところへは行かないようにしていますか？	はい　時々　いいえ
13P	寝がえりをすると，めまいが増強しますか？	はい　時々　いいえ
14F	めまいのために，激しい家事や庭掃除などをすることが困難ですか？	はい　時々　いいえ
15E	めまいのために，周囲から自分が酔っているように思われているのではないかと心配ですか？	はい　時々　いいえ
16F	めまいのために，1人で散歩に行くことが困難ですか？	はい　時々　いいえ
17P	歩道を歩く時に，めまいは増強しますか？	はい　時々　いいえ
18E	めまいのために，集中力が妨げられていますか？	はい　時々　いいえ
19F	めまいのために，夜暗い時には，自分の家の周囲でも歩くことが困難ですか？	はい　時々　いいえ
20E	めまいのために，家に1人でいることが怖いですか？	はい　時々　いいえ
21E	めまいのために，自分がハンディキャップ（障害）を背負っていると感じていますか？	はい　時々　いいえ
22E	めまいのために，家族や友人との関係にストレスが生じていますか？	はい　時々　いいえ
23E	めまいのために，気分が落ち込みがちになりますか？	はい　時々　いいえ
24F	めまいのために，あなたの仕事や家事における責任感が損なわれていますか？	はい　時々　いいえ
25P	身体をかがめると，めまいが増強しますか？	はい　時々　いいえ

P：Physical（7項目），E：Emotional（9項目），F：Functional（9項目）
「はい」：4点，「時々」：2点，「いいえ」：0点

　　　　　　　　　　　Total Score：　　　　P：　　　E：　　　F：

表3-7 Vertigo Handicap Questionnaire（VHQ）

VHQ日本語版　めまいによる障害度の質問紙（VHQ）

以下の質問は，めまいが生活に支障を与えると思われる状況について，記述してあります．（この質問紙における「めまい」とは，あなたがふらつき，ふわふわ感，不安定さなどと呼ぶ感覚に対して使用されています．）それぞれの質問に0から4までの数字に○をして回答することで，めまいがこれらのどのような面であなたの生活に影響を与えているかを教えてください．

　　　　　0　　　　　1　　　　　2　　　　　3　　　　　4
　　　まったくなし　まれにある　ときどきある　しばしばある　いつもある

それぞれの質問を読んで，現時点でめまいがそれぞれの状況でどの程度の時間（もしくはずっと），あなたの生活に支障をきたしているかを，数字に○をして教えてください．

 1　私はめまいのせいで社会的生活に制限を受けている．
 　　（まったくなし）0　　1　　2　　3　　4（いつも）
*2　私は今でも趣味や余暇を楽しむことができている．
 　　（例：水泳，ダンス，スポーツ）
 3　私の友人や親族の何人かは，私のめまいのためにイライラしている．
*4　私はすばやく，自由に動き回ることができる．
 5　私は以前より自信をなくしている．
*6　私は1人で外出できて幸せである．
 7　私のめまいは，私の家族の生活に制限を与えている．
 8　読書や裁縫といった静かな趣味も困難である．
 9　私はめまいがあってもいまだに旅行に行くことができる．
 10　私はかがまないようにしている．
*11　私の家族は私のめまいにうまく対応できている．
 12　私の友人は私のめまいに対して理解できていないので，うまく対処できていない．
 13　私にはなにか重大な異常があるかもしれないと思っている．
*14　人々はめまいがもたらす問題について理解している．
 15　私は予期しないめまい発作があるのではと不安である．
*16　めまい発作の間も，そのとき自分がしていたことをなんとか続けることができる．
 17　発作がおそろしい．
*18　私は長い距離を歩くことができる．
 19　めまいのために私は心配である．
 20　その日にできないことを考えて，前もって計画を立てないようにしている．
*21　私は日常の活動を難なくすることができる．
 　　（例：買物，ガーデニング，家の周りの仕事）
 22　自分のせいで物事をだめにしてしまい他人に申し訳なく思う．
 23　私はめまいのせいでかなり気分が滅入っている．
*24　めまい発作の間も，もし座っていれば大丈夫である．
 25　もし公共の場でめまい発作が起こったらはずかしいと思う．
 26　あなたは現在雇われていますか．（印をつけてください）　　　　　はい　いいえ
 　　もし答えが「いいえ」であれば以下の質問のa）にだけお答えください．
 　　a）あなたはめまいのために仕事をあきらめましたか．　　　　　　はい　いいえ
 　　b）めまいのためにあなたのしていた仕事の職種を変えたことがありますか．
 　　　　　　　　　　　　　　　　　　　　　　　　　　　　　　　　はい　いいえ
 　　c）めまいのためにあなたは仕事をするのが困難ですか．　　　　　はい　いいえ

*質問2，4，6，9，11，14，16，18，21，24は逆転質問となっている．これらについては0を4点，4を0点として採点を行う．

(5) 前庭障害ADLスケール（Vestibular disorders ADL scale：VADL）[10]

VADL（表3-8）は，前庭障害患者のめまいと平衡障害の影響を，ADL自立度から評価するものである．28項目からなり，1〜10点の10段階評価である．点数が高いほど，ADLにおける自立度が低いことを示している．

さまざまな評価法のなかでは，詳細な問題点や生活面の障害に則した項目が補われており，治療前後の機能評価や，患者自身の実用的能力の把握に有用である．

(6) Activities-specific Balance Confidence（ABC）スケール[11]

ABCスケール（表3-9）は，実際に動作ができているかを問うものではなく，動作を行う自信があるかを問うものである．16の項目について，日常的な動作を行う際の自信度を0〜100％の11段階で点数づけてもらう．ABCスケールは，DGI（Dynamic Gait Index）[12]やTimed Up & Go testと相関があり，60点以上では転倒のリスクが高く，関連性も認められている．

(7) Vertigo Symptom Scale short form（VSS-sf）

めまい症状スケール（Vertigo Symptom Scale：VSS）は，めまいの頻度と強度を調査するための質問紙法であり，34項目からなるlong version[13]と，15項目からなるshort version[14]（表3-10）の2種類がある．

Long versionは，過去1年間もしくは症状が出現した時からの症状を6つの選択肢（0〜5点）から選択し，short versionは過去1カ月間の症状を5つの選択肢（0〜4点）から選択する．どちらも質問紙への自己記入方式で，各質問への回答の合計点が高いほど，めまいや不安感などのさまざまな問題があることを示している．

VSSは日本語に翻訳され信頼性が示されており，また前庭障害に関連しためまい症状だけではなく，不安症状に対しても有効な評価であることが報告されている[15,16]．

3）心因性評価
(1) Hospital Anxiety and Depression Scale（HADS）

HADS（表3-11）は，外来患者の「不安」「抑うつ」を評価するために開発された14項目（不安7項目，抑うつ7項目）からなる自己記入式尺度である．得点は

表3-8 Vestibular Disorders Activities of Daily Living Scale（VADL）

氏名：　　　　　　　　測定日：　　　　　　年　　　月　　　日

めまいやバランス障害が日常生活に与える影響を評価します．各項目についてそれぞれ評価を行ってください．もし断続的なめまいやバランス障害により状態が変わる場合，最も悪い状態にて評価を行ってください．もしあなたがその行動をまったく行っていない場合，NAに○をつけてください．

項目		1	2	3	4	5	6	7	8	9	10	NA
F-1	寝ている姿勢から起き上がる											
F-2	ベッドや椅子に座った状態から立ち上がる											
F-3	上半身の着替え（シャツやブラジャー，肌着など）											
F-4	下半身の着替え（ズボンやスカート，ももひきなど）											
F-5	靴下やストッキングを履く											
F-6	靴を履く											
F-7	浴槽に入ることや出ること											
F-8	浴槽やシャワーにて入浴する											
F-9	天井に手を伸ばす（棚や食器棚の上に手を伸ばす）											
F-10	下に手を伸ばす（床や棚の下に手を伸ばす）											
F-11	食事の支度											
F-12	親密な活動（性的な行為）											
A-13	平らな表面を歩く											
A-14	でこぼこな表面を歩く											
A-15	段差を上がる											
A-16	段差を降りる											
A-17	狭いスペースを歩く（廊下やコンビニなどの通路）											
A-18	広い場所を歩く											
A-19	人が大勢いる場所で歩く											
A-20	エレベーターを使う											
A-21	エスカレーターを使う											
I-22	車を運転する											
I-23	歩きながら物を運ぶ（荷物やごみ袋など）											
I-24	簡単な家事（ほこりを払う，物を片付けるなど）											

表3-8 続き

I-25	重い家事（掃除機をかけることや重い家具を運ぶなど）										
I-26	レクリエーション活動（スポーツやガーデニング）										
I-27	職業的な役割（仕事，子供の世話，家事，学生）										
I-28	周辺地域を移動する（車やバス）										

[判断基準]
1 : 自立，内耳障害になる前と動作や活動に変化はない．
2 : 活動することは心地よくはないが，動作や活動の質は障害の前と変わらない．
3 : 活動は減ったが，動作や活動のやり方は変わっていない．動作や活動の質は低下したと感じるが，やり方は変わっていない．
4 : 動作や活動がゆっくりで用心深く，より注意的になる．動作や活動のやり方が変わったと感じる（以前より動作や活動をゆっくりまたは注意深く行う）．
5 : 手助けのために物体を用いることを好む．援助のため日常環境においてよく目にする物を使うことを好む（例えば階段の手すりなど）．しかし，その動作や活動をするうえで物や道具に依存はしない．
6 : 手助けのために物を用いる必要がある．援助のため日常環境においてよく目にする物を使う必要がある．しかし，個々の活動をするために特別に設計された道具や物を使う必要はない．
7 : 特別な道具や物を使う必要がある．個々の活動をするためにデザインされた補助具や道具を使用する必要がある．（例えば，手すり杖，物をとるためのマジックハンド，バスに乗降するためのリフト，ウェッジピロー）．
8 : 特別な介助や援助が必要．身体介助をする人が必要，または，まれな介助において2人介助が必要である．
9 : 介助．活動を実行するために介助に依存する必要がある
10 : 難しすぎて実行できない．めまいやバランス障害のため，その動作や活動を実行しない．
NA : その活動を普段行っていない，またはその質問に答えたくない．

0～21点であり，高得点のほうが，心理的苦悩が高いと評価される．7点以下は問題なし，8～10点は苦悩の可能性あり，11点以上は明確な苦悩を示す．

(2) State-Trait Anxiety Inventory (STAI)

STAI（状態・特性不安質問紙）は，患者個人が経験している「不安」を評価する目的で開発された自己記入式尺度である．合計40項目の質問からなり，得点が高いほど不安が強いことを示す．

表3-9 Activities-specific Balance Confidence（ABC）スケール

このアンケートは，あなたが日常のさまざまな動作を行うときにバランスを崩したり，ふらついたりせずにできる自信がどの程度あるかを調べるためのものです．
質問事項の動作を最近していない場合には，行った場合を想定して回答してください．
普段歩行器や杖を使用したり，誰かにつかまって動かれる方は，その状態で考えていただいてけっこうです．
「まったく自信がない：0％」，「完全に自信がある：100％」の間で，今の状態をお答えください．

	質問内容	0%	10	20	30	40	50	60	70	80	90	100%
		自信がない								自信がある		
1	家の中を歩き回ることができますか？	□	□	□	□	□	□	□	□	□	□	□
2	家の階段を上がったり下がったりできますか？	□	□	□	□	□	□	□	□	□	□	□
3	前かがみになって下駄箱からスリッパを取り出すことができますか？	□	□	□	□	□	□	□	□	□	□	□
4	棚の目の高さにある小さな缶（箱）を取り出すことができますか？	□	□	□	□	□	□	□	□	□	□	□
5	つま先立ちをして自分の頭より上にある物をとることができますか？	□	□	□	□	□	□	□	□	□	□	□
6	椅子の上に立って物をとることができますか？	□	□	□	□	□	□	□	□	□	□	□
7	床をほうきやモップで掃除できますか？	□	□	□	□	□	□	□	□	□	□	□
8	家の外に駐車した車の所まで歩くことはできますか？	□	□	□	□	□	□	□	□	□	□	□
9	車の乗り降りはできますか？	□	□	□	□	□	□	□	□	□	□	□
10	ショッピングモールの駐車場を横切って店舗に入ることはできますか？（高速道路のパーキングエリアから建物に入れますか？）	□	□	□	□	□	□	□	□	□	□	□
11	坂道を上がったり下がったりすることはできますか？	□	□	□	□	□	□	□	□	□	□	□
12	混雑下のショッピングモールや駅の構内で，人があなたを追い越していくなか，歩くことができますか？	□	□	□	□	□	□	□	□	□	□	□
13	混雑した場所で，人にぶつからずに歩くことができますか？	□	□	□	□	□	□	□	□	□	□	□
14	手すりをつかんでエスカレーターを乗り降りできますか？	□	□	□	□	□	□	□	□	□	□	□
15	両手が荷物でふさがった状態（手すりを使わない状態）で，エスカレーターを乗り降りできますか？	□	□	□	□	□	□	□	□	□	□	□
16	凍った（滑りやすい）道路を歩くことができますか？	□	□	□	□	□	□	□	□	□	□	□

名前　　　　　　　　　　　　　　　回目　　　平均　　　％

表 3-10　VSS-sf

めまいに関して，最近，どのような症状があるのかを教えてください．最近1カ月間に，以下のそれぞれの症状が何回くらいあったか，あてはまる番号に〇をつけてください．

最近1カ月間に，以下の症状がどれくらいの回数ありましたか？

1	自分自身か，自分の周りのものが，回転したり動いたりする感じ（20分以内で終わるもの）	0	1	2	3	4
2	ほてり，または冷え	0	1	2	3	4
3	吐き気（気持ち悪いこと），吐くこと	0	1	2	3	4
4	自分自身か，自分の周りのものが，回転したり動いたりする感じ（20分以上続くもの）	0	1	2	3	4
5	心臓が強く脈打つ，ドキドキする	0	1	2	3	4
6	ふらふらする感じ，方向感覚がない感じ，ゆらゆらしている感じ（一日中続くもの）	0	1	2	3	4
7	頭痛や，頭の圧迫感	0	1	2	3	4
8	支えなしでは，しっかり立ったり歩いたりできず，片側に曲がったり，よろめいたりする	0	1	2	3	4
9	息苦しさや，息切れ	0	1	2	3	4
10	今にもバランスを失いそうな，不安定な感じ（20分以上続くもの）	0	1	2	3	4
11	汗をかきすぎる	0	1	2	3	4
12	今にも気を失いそうな，気の遠くなる感じ	0	1	2	3	4
13	今にもバランスを失いそうな，不安定な感じ（20分以内で終わるもの）	0	1	2	3	4
14	心臓や胸の痛み	0	1	2	3	4
15	ふらふらする感じ，方向感覚がない感じ，ゆらゆらしている感じ（20分以内で終わるもの）	0	1	2	3	4

答えの区分
0：まったくない　　1：約1～3回　　2：数回（約4～6回）　　3：ひんぱん（約7～14回）
4：非常に多い（約15回～）

(3) Self-Rating Depression Scale (SDS)

SDS（表3-12）は，Zung[17]が開発した20項目からなる感情・生理・心理面の「抑うつ」症状を評価する尺度である．各項目は「ないかたまに：1点」「ときどき：2点」「かなりのあいだ：3点」「ほとんどいつも：4点」の4段階に点数化され，総得点でうつの程度を示す．総得点の最低得点は20点，最高得点は80点となり，点数が高いほど抑うつの程度が高い．

表3-11 HADS

この質問紙は，あなたが最近どのように感じているかをお尋ねするものです．次の14の設問を読み，それぞれについて，4つの答えのうち，あなたのこの1週間の様子に最も近いものに，○をつけてください．長く時間をかけて考える必要はありません．パッとまず頭に浮かんだ答えのほうが，正しいことが多いからです．

【1】	緊張感を感じますか？	【2】	以前楽しんでいたことを，今でも楽しめますか？	【1】	【2】
1.	ほとんどいつもそう感じる	1.	以前とまったく同じくらい楽しめる	3	0
2.	たいていそう感じる	2.	以前より楽しめない	2	1
3.	時々そう感じる	3.	少ししか楽しめない	1	2
4.	まったくそう感じない	4.	まったく楽しめない	0	3
【3】	まるで何かひどいことが今にも起こりそうな，恐ろしい感じがしますか？	【4】	笑えますか？ いろいろなことのおかしい面が理解できますか？	【3】	【4】
1.	はっきりあって程度もひどい	1.	以前と同じように笑える	3	0
2.	あるが程度はひどくない	2.	以前とまったく同じようには笑えない	2	1
3.	わずかにあるが，気にならない	3.	明らかに以前ほどには笑えない	1	2
4.	まったくない	4.	まったく笑えない	0	3
【5】	くよくよした考えが心に浮かびますか？	【6】	きげんがよいですか？	【5】	【6】
1.	ほとんどいつもある	1.	まったくそうでない	3	3
2.	たいていある	2.	しばしばそうではない	2	2
3.	時にあるが，しばしばではない	3.	時々そうだ	1	1
4.	ほんの時々ある	4.	ほとんどいつもそうだ	0	0
【7】	のんびり腰かけて，そしてくつろぐことができますか？	【8】	まるで考えや反応がおそくなったように感じますか？	【7】	【8】
1.	できる	1.	ほとんどいつもそう感じる	0	3
2.	たいていできる	2.	たいていしばしばそう感じる	1	2
3.	できるがしばしばではない	3.	時々そう感じる	2	1
4.	まったくできない	4.	まったくそう感じない	3	0
【9】	胃が気持ち悪くなるような，一種恐ろしい感じがしますか？	【10】	自分の身なりに興味を失いましたか？	【9】	【10】
1.	まったくない	1.	明らかにそうだ	0	3
2.	時々感じる	2.	自分の身なりに十分な注意を払っていない	1	2
3.	かなりしばしばそう感じる	3.	自分の身なりに十分な注意を払っていないかもしれない	2	1
4.	たいへんしばしば感じる	4.	自分の身なりには十分な注意を払っている	3	0

表3-11 つづき

【11】	まるで終始動きまわっていなければならないほど，落ち着きがないですか？	【12】	これからのことが楽しみにできますか？	【11】	【12】
1.	非常にそうだ	1.	以前と同じようにそうだ	3	0
2.	かなりそうだ	2.	その程度は以前よりやや劣る	2	1
3.	あまりそうではない	3.	その程度は明らかに以前より劣る	1	2
4.	まったくそうではない	4.	ほとんど楽しみにできない	0	3
【13】	急に不安に襲われますか？	【14】	よい本やラジオやテレビの番組を楽しめますか？	【13】	【14】
1.	大変しばしばそうだ	1.	しばしばそうだ	3	0
2.	かなりしばしばそうだ	2.	時々そうだ	2	1
3.	しばしばでない	3.	しばしばでない	1	2
4.	まったくそうでない	4.	ごくたまにしかない	0	3

2. 感覚検査

　四肢の体性感覚の障害は姿勢不安定性を引き起こし，転倒のリスクを上昇させる．四肢の感覚検査は前庭障害以外の障害を除外し，適切な前庭リハビリテーションプログラムを立案するために行われる．感覚検査は，すべての前庭障害患者に行うわけではないが，特に高齢者においては四肢の感覚異常率が高いため，注意深く評価していく必要がある．

1）関節覚，運動覚

　関節の肢位や運動方向を検査する．方法は，閉眼にて足趾を他動的に屈伸させて，どちらの方向に動いたかを答えさせる．足趾の動かす範囲や速度により刺激が変化するため，最初は可動範囲を大きくして，徐々に可動範囲や動かす速度を小さく変え，左右の足趾の感覚を比較する．高齢者では，器質的変化が認められなくても減弱している場合があるので注意が必要である[18]．

2）振動覚

　胸骨，手指，足趾やそのほかの骨の突起部に音叉を当て，振動が感じられるかを聴取する[18]．

表3-12 SDS

| 氏名　　　　　　　　記載日　　　　年　　月　　日 |

	ないか たまに	ときどき	かなりの あいだ	ほとんど いつも
気分が沈んでゆううつだ				
朝がたは，いちばん気分がよい				
泣いたり，泣きたくなる				
夜，よく眠れない				
食欲は，ふつうだ				
まだ性欲がある				
やせてきたことに，気がつく				
便秘している				
ふだんよりも，動悸がする				
なんとなく，疲れる				
気持ちは，いつもさっぱりしている				
いつもとかわりなく，仕事をやれる				
落ちつかず，じっとしていられない				
将来に，希望がある				
いつもより，いらいらする				
たやすく，決断できる				
役に立つ，働ける人間だと思う				
生活は，かなり充実している				
自分は死んだほうが，ほかの者は楽に暮らせると思う				
日頃していることに，満足している				

3. 協調性検査

　前庭障害では通常，身体の協調性障害や四肢の運動失調は認められないが，小脳腫瘍などの術前後では重要な評価となる．鼻指鼻試験，膝打ち試験，踵膝試験などの方法があり，小脳障害における四肢の運動失調の評価を行う[18]．

4. 頸部機能評価

前庭障害の評価には，Head Impulse Test(HIT)，頭振り眼振検査，頭位変換眼振の観察などを行う．前庭リハビリテーションでは頭部の運動が必須であるため，頸椎の可動域が必要である．また，頸部の関節可動域の改善により，めまい感が減少することが認められている[19]．したがって，はじめに頸部の関節可動域やX線像などにより，頸部の障害を評価しておく必要がある（図3-1）．

なお，頸部障害によるめまい患者の評価については，第6章を参照していただきたい．

5. 筋力の評価

下肢の筋力低下は姿勢不安定性を引き起こす可能性があるため，スクリーニング的に評価を行う必要がある[20,21]．筋力評価にはthe five times sit-to-standや30-s chair stand, Hand-held Dynamometer(HHD)を用いた方法がある．

6. 姿勢の評価

姿勢異常は，前庭リハビリテーションに影響を及ぼす可能性がある．そのた

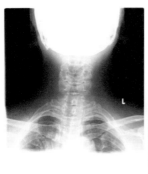
a. X線正面像

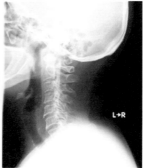
b. X線側面像

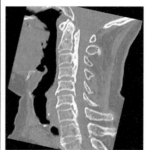
c. CT

図3-1　X線およびCTによる評価
前庭リハビリテーションを行う前に頸椎評価のスクリーニングとしてX線やCTでの評価を行う．後縦靭帯骨化症（OPLL）が認められたため，リハビリテーションが中止となった症例

め，座位および立位の前後・左右のアライメント異常などを評価する．通常，姿勢異常は末梢前庭障害ではあまり認められないが，中枢神経障害では認められることが多い．

7. 動きの感受性の評価

Motion Sensitivity Quotient（MSQ）（**表3-13**）の項目に沿って，16種類の動作を行ってもらい，めまいの強度やめまいが起こっている時間を計測することで，めまいの起こる動作（苦手な動作）を決定できる[22, 23]．

表3-13　Motion Sensitivity Quotient（MSQ）

動作	強さ（0〜5）	長さ（0〜3）	スコア
1. 座位→仰臥位			
2. 仰臥位→左側臥位			
3. 仰臥位→右側臥位			
4. 仰臥位→座位			
5. 座位→左Dix-Hallpike			
6. 左Dix-Hallpike→座位			
7. 座位→右Dix-Hallpike			
8. 右Dix-Hallpike→座位			
9. 座位で頭部を左膝につける			
10. 左膝から頭部を上げる			
11. 座位で頭部を右膝につける			
12. 右膝から頭部を上げる			
13. 座位で頭部を5回回旋する			
14. 座位で頭部を上下に5回動かす			
15. 立位にて右に180°回転する			
16. 立位にて左に180°回転する			
総点数			

Motion Sensitivity Quotient（MSQ）＝総点数×症状があった動作の数÷20.48
強さ：0〜5点（0＝症状なし，5＝非常に強い症状）
長さ：0〜3点（0〜4秒＝0点，5〜10秒＝1点，11〜30秒＝2点，30秒以上＝3点）
MSQ score＝0〜10点：mild，11〜30点：moderate，31〜100点：severe

8. 静的バランス評価

1) 直立検査
静的な身体平衡機能の障害を，偏位に対する立ち直り現象の側面から評価する[1]．

(1) 両脚直立検査(図3-2)
両足を揃えて立位をとる．両上肢は体側につけ，開眼・閉眼の2種類の条件で，60秒間立位を保持させる．開眼および閉眼の条件下での身体の動揺の有無，転倒の有無，転倒の方向，開眼・閉眼での動揺の差などを観察する．

開眼・閉眼のいずれの条件においても動揺が明らか，転倒する場合に，陽性と判定する．また，開眼時に比べて閉眼時に動揺が著しい場合を，ロンベルグ陽性とする．ロンベルグ陽性は，前庭障害の急性期や脊髄後索障害にみられるが，慢性期の前庭障害では正常値を示すことが多い．柔らかいパッドを使用すると，足底からの固有感覚が抑制され，検査の感度が向上する．

(2) マン検査(図3-3)
一側の足尖と他側の踵を接して両足を前後一直線に揃え(タンデム)，体重を両足に均等に荷重して，直立姿勢をとらせる．開眼・閉眼それぞれ30秒ずつ行い，次に前後の足を替えて同様に検査を行う．

開眼および閉眼の条件下での身体の動揺の有無，転倒の有無，転倒の方向，開眼・閉眼の動揺の差などを観察する．開眼・閉眼のいずれも30秒以内での転倒を，異常と判定する．また，転倒はしなくても著明な動揺が認められる場合は，詳細に姿勢の評価を進めていく必要がある[1]．

(3) 単脚直立検査(図3-4)
直立姿勢から一側下肢の大腿を水平に挙上し，その肢位を保持させる．両上肢は軽く体側につけ前方を見てもらう．開眼・閉眼にて30秒間行い，左右の下肢を替えて観察する．

開眼および閉眼の条件下での身体の動揺の有無，転倒の有無，転倒の方向，開眼・閉眼の動揺の差，挙上した足の接地回数，さらに単脚直立維持時間などを観察・記載する．開眼で30秒以内に挙上した下肢の接地や，閉眼で30秒間に3回以上の下肢の接地を異常と判定する．

Ⅱ　前庭リハビリテーション領域における評価　●　57

a. 開眼　　　　b. 閉眼

図3-2　両脚直立検査
両上肢を体側につけ，両脚を揃えて立位をとり，開眼・閉眼の2種類を行う．

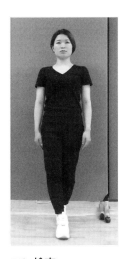

図3-3　マン検査
一側の足尖と他側の踵をつけ，両足を前後一直線に揃える（両足に体重は均等にかける）．

図3-4　単脚直立検査
一側下肢の大腿を水平に挙上し，保持させる．

単脚直立検査はDHIと相関が認められており[24]，さらに片脚立位時間が5秒以下では転倒のリスクが高くなることから[25]，転倒リスクを把握することも可能である[26]．

2) 重心動揺検査[1] (図3-5)

重心動揺計を使用することで，身体の動揺を定量的に評価することができる．開眼および閉眼で直立姿勢を60秒間（または30秒）保持させる．身体の重心に近似して動く足圧中心を静止立位で計測することにより，身体動揺の速度，面積，周波数などのパラメーターを解析して，身体動揺の大きさや特徴を検出する臨床検査である．

足圧中心重心は，重心位置が床から身長の55～60％の位置にあり3次元的であるが，床面への垂直軸延長線上の点が足底中心とほぼ一致し，同期して動く．静止立位姿勢は，重心の位置（3次元）を安定性限界と呼ばれる範囲内（2次元）に保持すること，すなわち，重心から床面への鉛直軸を，支持基底面（足底で囲まれる範囲）に保つことにより維持されている．通常の直立状態では，この重心鉛直軸と床面との交点は，下肢の支点となる圧中心（Center of Pressure：COP）におよそ一致することから，COPは重心とほぼ同期して動くとされている[27]．

重心動揺から重心動揺図，重心動揺面積，重心動揺軌跡長，重心動揺の偏位，

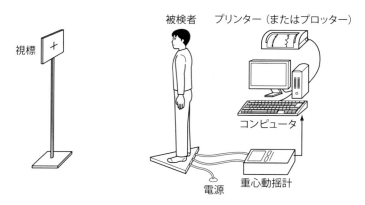

図3-5　重心動揺検査
（日本めまい平衡医学会：「イラスト」めまいの検査 改訂第3版．診断と治療社，2018．）

重心動揺のパワースペクトル（周波数成分）を算出し，身体の動揺を検査する．そのほかにも重心動揺の閉眼開眼比を，面積または軌跡距離で求めるロンベルグ率や視覚の代償を検査することも可能であり，迷路系や脊髄からの求心路の障害を把握しやすい[1]．

(1) 計測方法
① 開始：静止立位姿勢が安定した時点（直立開始から5～10秒後）から記録を始める．
② 測定時間：60秒間を基準とする．困難な例では，30秒記録を行う．
③ 記録条件：開眼および閉眼下で行う．ラバー負荷検査ではフォームラバー上に足尖を30°開き踵が接した状態で直立し，開眼および閉眼下で行う．足尖を30°開いて立った場合は両足を離して立つ場合よりも不安定になり，両足をぴったりとくっつけて立つ姿勢よりも安定する．閉眼により視覚入力を遮断し，フォームラバーで深部知覚を撹乱すると，体平衡は主に前庭系からの入力で維持される[28, 29]．
④ 測定結果：重心動揺図の例を図3-6に示す．総軌跡長（計測中のサンプリングした点を結ぶ距離），単位時間軌跡長（動揺速度：総軌跡長を時間で除した値），外周面積などにより評価する．

(2) 重心動揺検査を行う際の注意事項
検査時に注意すべきことは，以下のとおりである．
① 検査当日のふらつき状態を確認する．
② もともと支障のある部位がないか，あらかじめ腰，膝，足を動かして問題がないかを確認する．
③ 最初に容易な立ち方（開眼／開脚）で，どの程度バランスを保持できるかをチェックする．
④ 立位時，前方の偏位に対しては患者自身が対応できるように，腰高の手すりや台を設置しておくとよい．両側方と後方に対しては，検者が患者の後ろ側に立ってよろめきに備える．検者の手は，患者の脇に接近させて，突然の転倒に対応できるようにしておく．
⑤ 高齢者や高度平衡障害例に対して負荷刺激の強い検査（ラバー負荷重心動揺検査や感覚統合バランス機能検査）を行う際には，転倒防止用の介助ベルトやハーネスの装着を考慮する．

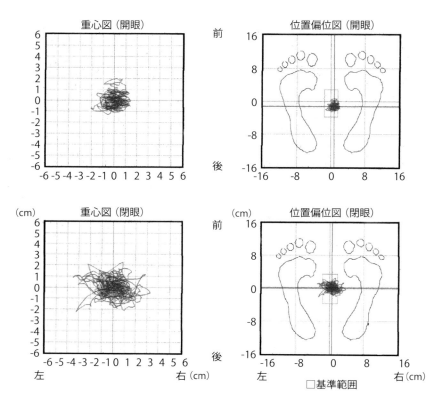

図3-6 重心動揺図の例

(3) 疾患別の重心動揺計測値の特徴[27]

①片側前庭障害：総軌跡長と外周面積が，開眼では比較的小さく閉眼で大きくなり，ロンベルグ率は高値を示す．左右前庭の不均衡が強いと，動揺パターンは左右型を示し，左右方向に動揺が大きくなる左右方向に優位な1Hz以下の増強があれば，前庭入力系の障害が示唆される．

②両側性前庭障害：総軌跡長と外周面積は，開眼下でも大きいが閉眼ではさらに増大し，ロンベルグ率は著しく高くなる．両側前庭機能の消失により脊髄固有受容器反射が亢進して，動揺パターンはびまん型あるいは前後型を示し，小脳病変の所見と類似する．
③脳幹障害：動揺パターンはびまん型で，総軌跡長と外周面積は開・閉眼とも大きい．脊髄（伸張）反射が亢進するので，単位面積軌跡長は大きくなる．進行性核上性麻痺では，動揺は健常者に比べて静止立位で大きな違いはなかったが，視覚や体性感覚の刺激下で有意に増大するとされている．
④小脳障害：脳幹障害と同様，開・閉眼とも総軌跡長，外周面積は大きく，ロンベルグ率は高値とならない．遅くて大きい失調性動揺を示す．動揺パターンはびまん型で，パワースペクトル分析では低周波数帯域に増加を認める．前後方向に2～4Hzなら小脳系の障害が疑われる．
⑤深部知覚障害：閉眼により動揺は著しく増大し，特に前後方向で顕著となる．ロンベルグ率は著明に高くなる．Charcot-Marie-Tooth病Ⅱ型や糖尿病などの深部知覚障害をきたす病態では，健常者に比べて，動揺中心変位が前後方向へ有意に増幅して，動揺面積が増大することが示されており，閉眼でその傾向が顕著に認められる．揺れの増強が1Hzの周辺ならば固有知覚系（足関節）や視覚入力系の障害が疑われる．
⑥パーキンソン病：重心動揺は病変の進行度によってさまざまである．総軌跡長や面積は，筋固縮，振戦などを示す病初期では健常者との大きな差はないが，疾病の進行に伴って増大する．進行度によっては，前後方向優位なびまん型動揺パターンを示し，4～5Hzの高い周波数の動揺を示す特徴がある．
⑦心因性：開閉眼ともに外周面積が増大し，ロンベルグ率の低いことが特徴である．他疾患との鑑別は困難とされているが，開眼時のフォームラバー床面で，前後動揺が有意に増幅するとされている．

(4) 人間の重心位置
人間の重心位置の計算方法を**図3-7**に示す．

3) そのほかの姿勢安定性の評価
通常，慢性期の前庭障害患者のほとんどは，直立検査などは健常人と同様に容易に行うことができるため，閉眼や不安定な床面上で立位をとらせることなどが可能で，障害の状態をより把握しやすい．つまり，視覚条件や床面条件な

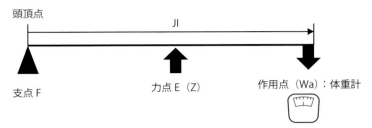

Wt（体重）×Z（重心位置）＝JI（支点↔作用点）×Wa（体重計値）
Z（力点 E）＝（JI×Wa）/Wt
重心比％＝〔(Ht: 身長－Z: 重心位置)/Ht: 身長〕×100

図3-7　重心位置の計算方法

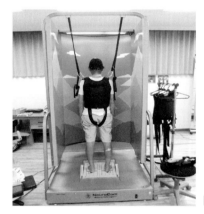

図3-8　Equitest

どの感覚入力を変化させることにより，姿勢制御における視覚，体性感覚，前庭覚からの情報がどの程度有効利用されているかを，選択的に評価することが可能である．

また，通常の重心動揺検査（硬い床面や開眼・閉眼）に加えて，柔らかいパッドの使用や頭部を回旋させながらの重心動揺[25,26,27,28,29]などの条件を変化させて測定することにより，検査の感度が向上する．その際，外乱刺激による姿勢の安定性を評価することも重要である．

実際には，Equitest（図3-8）などを使用する．EquitestはSensory Organization Test（SOT，図3-9），Motor Control Test（MCT，図3-10），Adapta-

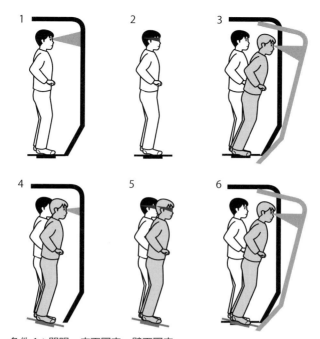

条件1：開眼，床面固定，壁面固定
条件2：閉眼,床面固定，壁面固定
条件3：開眼，床面固定，身体動揺と同時に壁面が追従傾斜
条件4：開眼，床面動揺，壁面固定
条件5：閉眼，床面動揺，壁面固定
条件6：開眼，床面動揺，身体動揺と同時に壁面が追従傾斜

図3-9 Sensory Organization Test（SOT）

tion Test（ADT，図3-11）の検査からなる．

　SOTは，6種類の異なる感覚条件にて立位をとり，視覚，体性感覚，前庭感覚の入力がどの程度有効に利用されているかを評価する．MCTは，支持面を急速に前方または後方に動かした際の姿勢反応を評価する．ADTは,急速に支持面を傾斜（つま先上方回転，またはつま先下方回転）させた際の姿勢反応を評価する．このようにさまざまな条件下で検査を行うことで，障害をより詳細に把握することが可能であり，前庭リハビリテーションの効果を評価するには有用である[30]．

　さらに，臨床での簡便な指標として，The modified Clinical Test for Sen-

a. 床面前方移動　　b. 床面後方移動　　　　a. つま先上方回転　　b. つま先下方回転

図3-10　Motor Control Test（MCT）　　　図3-11　Adaptation Test（ADT）

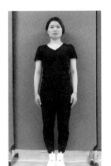  

a. 硬い床面上での開眼立位　　b. 硬い床面上での閉眼立位　　c. 硬い床面上での，袋をかぶった状態での開眼立位

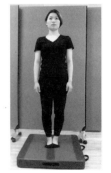 

d. 柔らかいパッド上での開眼立位　　e. 柔らかいパッド上での閉眼立位

図3-12　The modified Clinical Test for Sensory Interaction in Balance（mCTSIB） sory Interaction in Balance(mCTSIB)が考案されている(**図3-12**).

9. 動的バランス評価

　動的バランス評価のほとんどは比較的簡便な検査方法で，特殊な器具も必要としないため，臨床で使用しやすく，患者の機能をすばやく把握できる．

1) 足踏み検査[1] (図3-13)

　前庭系が正常なヒトでは，閉眼での足踏みで前方にわずかに移動する程度であるが，前庭系の一側性障害もしくは左右差のある両側性障害が発生すると，VSRが障害されて筋緊張に左右差が生じ，直立姿勢の維持や運動に際して一側方向への偏位が出現する．この検査はロンベルグ試験と同様に，下肢についての偏位と同時に，立ち直り障害を含めた平衡失調を簡単に検出でき，平衡障害の程度の判断，患側の推定，経過観察に有用である．

　方法は，両上肢を前方に伸ばして手掌を下に向け，足を揃えて硬い床面上で立位をとる．次に，閉眼して大腿を水平まで上げて，50歩もしくは100歩の足

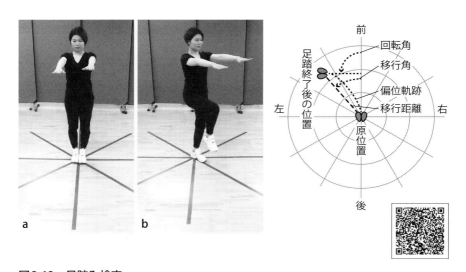

図3-13　足踏み検査
手掌を下に向けて両上肢を前方に伸ばし(a)，閉眼して足踏みを行う(b)．

踏みを行う．検査は3回繰り返すのが望ましい．足踏み中の動態を観察し，終了後の停止位置における回転角（体軸の回転角度），移動距離（体軸の移動距離），軌跡などを測定する．

　判定基準は，50歩の足踏みの場合は偏位・回転角は30°以上，また移動距離は50cm以上，100歩の足踏みの場合は偏位・回転角は45°以上，また移動距離は1m以上を異常と判定する．足踏み検査は，50歩の足踏みより100歩の足踏みのほうが，再現性は高い．なお65歳以上の高齢者においては，65～79歳で回転角度180°以下は正常，80歳以上で回転角度190°以下は正常，と基準が分けられている．

　一側性の前庭障害では多くは患側に偏位するが，代償期においては健側へ偏位することもある．著明な動揺や転倒は，両側前庭または中枢性障害，脊髄後索障害，末梢性疾患の急性期などが考えられる．また，開眼での動揺や転倒は，中枢性障害が疑われる．

　下肢に器質的障害および運動障害がある場合は，判定を阻害するため検査の対象とならない．検査中は被検者の転倒に十分に注意する．

2）ファンクショナルリーチテスト[31]（図3-14）

　方法は，下肢を動かさずに手をできるだけ前方（図3-14a）や側方（図3-14b）に伸ばし，どれだけ移動できたかを計測する．このテストは転倒との関連性が示されており，15cm以下では転倒のリスクが高いと報告されている．ファンクショナルリーチテスト（functional reach test）は前庭障害患者において，片脚立位と関連性がある[78]．

3）Berg Balance Scale（BBS）（表3-14）

　Berg Balance Scale（BBS）は，Bergら[32,33]によって1989年に報告された，14項目から構成される総合的なバランス能力の評価法である．内容として，座位および立位での姿勢保持，立ち上がり動作，片脚立ち，移乗動作および方向転換などが含まれている．46点以下では転倒リスクが高くなり[33]，36点以下ではさらに転倒リスクが高くなる[34]．

4）Four Square Step Test（FSST）[35]

　4本のT字杖を使用し，互いが90°になるように床に置く．前，右，後，左の順に時計回りで歩き，次に反時計回りで行い，最初の位置に戻り，その時間を

a. 前方への移動

b. 側方への移動

図3-14　ファンクショナルリーチテスト

計測する方法である（図3-15）．FSSTは歩行速度とDynamic Gait Index（DGI），TUGと強い関連性があり，12秒以上で転倒リスクとの関連が認められている[36]．

10. 移動機能（図3-16）

1) Dynamic Gait Index (DGI)[37]（表3-15）

DGIは，歩行時の課題要求の変化に対応して歩行を修正する能力を評価する．30cmの間を開けた6mの2本の直線間を設定し，評価を行う．また，前庭障害のある患者の転倒リスクの予測指標ともなる[37]．方法は，6mの8つの課題について，それぞれの歩行能力を4段階で評価する．点数が19点以下では転倒の危険性が高い[38]．

表3-14　バランス機能評価（BBS：Berg Balance Scale）

1. 立ち上がり（椅子座位からの立ち上がり）
    ◇指示：「手を用いずに立ってください」
    4：立ち上がり可能
    3：手を用いれば一人で立ち上がり可能
    2：数回試した後，手を用いて立ち上がり可能
    1：立ったり，平衡をとるために最小限の介助が必要
    0：立ち上がりに中等度ないし高度な介助が必要
2. 立位保持
    ◇指示：「つかまらずに2分間立ったままでいてください」
    4：安全に2分間立位保持可能
    3：監視下で2分間立位保持可能
    2：30秒間立位保持可能
    1：30秒間立位保持に数回の試行が必要
    0：介助なしには30秒間立っていられない
    ※2分間安全に立位保持できれば，座位保持の項目は満点とし，「4．座り（立位から座位へ）」の項目に進む
3. 座位保持（両足を床につけ，もたれずに座る）
    ◇指示：「腕を組んで2分間座ってください」
    4：安全確実に2分間座位をとることが可能
    3：監視下で2分間座位をとることが可能
    2：30秒間座位をとることが可能
    1：10秒間座位をとることが可能
    0：介助なしでは10秒間座位をとることが不可能
4. 座り（立位から座位へ）
    ◇指示：「どうぞお座りください」
    4：ほとんど手を使用せずに安全に座ることが可能
    3：両手でしゃがみ動作を制御する
    2：両下腿背側を椅子に押しつけてしゃがみ動作を制御する
    1：座れるがしゃがみ動作の制御ができない
    0：介助しないとしゃがみ動作ができない
5. トランスファー
    ◇指示：「車椅子からベッドに移り，また車椅子へ戻ってください」
    ◇指示：「まず肘掛を使用して移ってください．次に肘掛を使用しないで移ってください」
    4：ほとんど手を使用せずに安全にトランスファーが可能
    3：手を十分に用いれば安全にトランスファーが可能
    2：言葉での誘導もしくは監視があればトランスファーが可能
    1：トランスファーに介助者1名が必要
    0：2名の介助者もしくは安全面での監視が必要

表3-14 つづき

6. 立位保持（閉眼での立位保持）
    ◇指示：「目を閉じて10秒間立っていてください」
   4：安全に10秒間閉眼立位可能
   3：監視のもとで10秒間閉眼立位可能
   2：3秒間は立位保持可能
   1：閉眼で3秒間立位保持できないが，ぐらつかないで立っていられる
   0：転倒しないよう介助が必要
7. 立位保持（両足を一緒にそろえた立位保持）
    ◇指示：「足をそろえて，何もつかまらずに立っていてください」
   4：一人で足をそろえることができ，1分間安全に立位可能
   3：一人で足をそろえることができ，1分間監視
   2：一人で足をそろえることはできるが，30秒立位は不可能
   1：開脚立位をとるために介助が必要であるが，足をそろえて15秒立位可能
   0：開脚立位をとるために介助が必要で，15秒立位保持不可
   ※以下の項目は，立位保持中に実施する
8. 両手前方（上肢を前方へ伸ばす範囲）
    ◇指示：「両手を90°上げてください．指を伸ばした状態でできるだけ前方に手を伸ばしてください」
    測定者は，被検者が90°に上肢を上げた時に指先の先端に定規を当てる．前方に伸ばしている間，定規に指先が触れないようにする．最も前方に傾いた位置で指先が届いた距離を記録する
   4：確実に25 cm以上前方へリーチ可能
   3：12.5 cm以上安全に前方へリーチ可能
   2：5 cm以上安全に前方へリーチ可能
   1：監視があれば前方へリーチ可能
   0：転倒しないように介助が必要
9. 拾い上げ（床から物を拾う）
    ◇指示：「足の前にある靴（あるいはスリッパ）を拾い上げてください」
   4：安全かつ簡単に靴（あるいはスリッパ）を拾い上げることが可能
   3：監視があれば靴（あるいはスリッパ）を拾い上げることが可能
   2：独力で平衡を保ったまま2.5〜5 cmのところに置いたスリッパまでリーチできるが，拾い上げることはできない
   1：検査中監視が必要であり，拾い上げることもできない
   0：転倒しないように介助が必要で，検査ができない
10. 振り返り（左右の肩越しに後ろを振り向く）
    ◇指示：「左肩越しに後ろを振り向いてください．それができたら今度は右肩越しに後ろを振り向いてください」
    4：上手に体重移動しながら，両方向から振り向ける
    3：一方向からのみ振り向きができる．もう一方向では体重移動が少ない

表3-14 つづき

  2：横を向けるだけだが，バランスは保てる
  1：振り向く動作中に監視が必要
  0：転倒しないように介助が必要
11. **360°方向転換（1回転）**
  ◇指示：「円周上を完全に1周回ってください．いったん止まり，その後反対方向に1周回ってください」
  4：4秒以内に両方向安全に1周回ることが可能
  3：4秒以内に一方向のみ安全に1周回ることが可能
  2：ゆっくりとなら1周回ることが可能
  1：間近での監視が必要か，言葉での手がかりが必要
  0：1周するのに介助が必要
12. **踏み台昇降**
  ◇指示：「足台の上に交互に足をのせてください．各足が4回ずつ足台にのるまで続けてください」
  4：支持なしで安全にかつ20秒以内に8回足のせが可能
  3：支持なしで20秒以上必要であるが，完全に8回足のせが可能
  2：監視下であるが，介助不要で，完全に4回足のせが可能
  1：最小限の介助で，完全に2回以上の足のせが可能
  0：転倒しないよう介助が必要．または試行不可能
13. **タンデム立位（片足を前に出した立位保持）**
  ◇指示：（課題を実地で説明）「一方の足をもう片方の足のすぐ前にまっすぐおいてください．もしできないと感じたならば，前になっている足の踵を，後ろになっている足のつま先から十分に離れたところにおいてみてください」
  4：単独で継ぎ足をとることができ，30秒保持可能
  3：単独で足を別の足の前におくことができ，30秒保持可能
  2：単独で足をわずかにずらし，30秒保持可能
  1：検査姿勢をとるために介助を要するが，15秒保持可能
  0：足を出すとき，または立っている時にバランスを崩してしまう
14. **片足立位**
  ◇指示：「どこにもつかまらず，できるだけ長く片足で立っていてください」
  4：単独で片足を上げ，10秒以上保持可能
  3：単独で片足を上げ，5～10秒保持可能
  2：単独で片足を上げ，3秒もしくはそれ以上保持可能
  1：片足を上げることはできるが，片足立ちを3秒保持することができない
  0：試行1不可能，もしくは転倒予防に介助が必要

(Berg KO, et al: Measuring balance in the elderly: preliminary development of an instrument. Physiother Can 41: 304-311, 1989.)
(Berg KO, et al: Clinical and laboratory measures of postural balance in an elderly population. Arch Phys Med Rehabil 73: 1073-1080, 1992.)

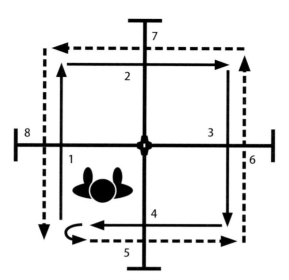

図3-15　Four Square Step Test（FSST）

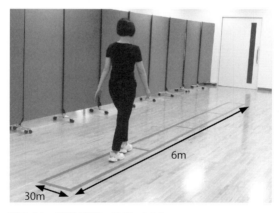

図3-16　移動機能：DGI, FGA
30cmの間をあけ6mの距離を歩行する．

2）Functional Gait Assessment（FGA）[39,40]（表3-16）

　FGAはDGIに3項目を追加しコーンを避ける項目を省いたものであり，ABC（r=.053, p<.001），BBS（r=.84, p<.001），およびTUG（r=－.84, p<.001）

表3-15　Dynamic Gait Index（DGI）

1. **平地の歩行**
   指示：「普段の速さでここから次の目印まで歩いてください」（6 m）
   段階づけ：（3）正常：補助具なし，良好な歩行速度，平衡が保たれている，正常歩行パターン．
   　　　　　（2）軽度障害：歩行速度がやや遅い，軽度の歩行の乱れ，歩行補助具を使用．
   　　　　　（1）中等度障害：歩行速度がかなり遅い，著明な歩行の乱れ．
   　　　　　（0）重度障害：介助なしに6 m歩けない，重度の歩行障害や不安定性．

2. **歩行速度を変える**
   指示：「普通の速さで歩き始めてください（1.5 m間）．私が『速く歩いて』といったらできる限り速く歩いてください（1.5 m間）．また，『ゆっくり』といったらできる限りゆっくり歩いてください（1.5 m間）」
   段階づけ：（3）正常：平衡の崩れや歩行パターンの乱れがなく滑らかな速度変更が可能，3つの歩行速度（通常歩行・速歩・低速歩行）の違いが明らか．
   　　　　　（2）軽度障害：歩行速度の変更は可能であるが歩行パターンに軽度の乱れ，歩行パターンの乱れはないが速度変更が困難，歩行補助具を使用．
   　　　　　（1）中等度障害：歩行速度をほんのわずかしか変えられない，歩行速度を変えると歩行パターンに著明な乱れを生じる．
   　　　　　（0）重度障害：歩行速度を変えられない，バランスを崩し支持なしで歩行できない．

3. **水平方向へ頭部を回旋して歩く**
   指示：「普段の速さで歩き始めてください．私が『右を見て』といったら頭を右へ回して，右向きのまままっすぐに歩き続けてください．次に『左を見て』といったら同様に頭を左へ回して左向きのまま歩き続けてください．さらに，『まっすぐ前を見て』といったら頭を正面に戻してまっすぐに歩いてください」
   段階づけ：（3）正常：歩容を変えることなく滑らかな頭部回旋が可能．
   　　　　　（2）軽度障害：歩行パターンのわずかな乱れはあるが滑らかな頭部回旋が可能，歩行補助具を使用している．
   　　　　　（1）中等度障害：頭部回旋は可能だが歩行パターン（速度や平衡）に中等度の乱れ，歩行の持続は可能．
   　　　　　（0）重度障害：頭部回旋はかろうじて可能だが歩行パターンに著明な乱れ（37.5 cm幅の歩行路外によろめくなど），支持なしで歩行できない．

表3-15 つづき

4. **垂直方向へ頭部を回旋して歩く**
   指示：「普段の速さで歩き始めてください．私が『上を見て』といったら上を向いて，上向きのまま歩き続けてください．次に『下を見て』といったら同様に下を向いて，下向きのまま歩き続けてください．さらに，『まっすぐ前を見て』といったら頭を正面に戻してまっすぐに歩いてください」
   段階づけ：(3) 正常：歩容を変えることなく滑らかな頭部回旋が可能．
   　　　　　(2) 軽度障害：歩行パターンのわずかな乱れはあるが滑らかな頭部回旋が可能，歩行補助具を使用．
   　　　　　(1) 中等度障害：頭部の回旋は可能だが歩行パターンに中等度の乱れ，歩行の持続は可能．
   　　　　　(0) 重度障害：頭部回旋はかろうじて可能だが歩行パターンに著明な乱れ，支持なしで歩行できない．

5. **歩行とターン**
   指示：「普段の速さで歩いてください．私が『回って止まって』といったら，できるだけすばやく逆方向を向いて止まってください」
   段階づけ：(3) 正常：3秒以内に安全に回転し平衡を崩すことなくすばやく停止．
   　　　　　(2) 軽度障害：3秒以上かかるが安全に回転し平衡を崩すことなく停止．
   　　　　　(1) 中等度障害：回転に時間がかかり停止後の平衡を保つのに何度か踏み直りが必要．
   　　　　　(0) 重度障害：安全に方向転換できず介助が必要．

6. **障害物を越える**
   指示：「普段の速さで歩いてください．障害物の所まで行ったらそれを避けずにまたぎ越えて歩き続けてください」
   段階づけ：(3) 正常：歩行速度を維持したまま障害物をまたぐことが可能．平衡が保たれている．
   　　　　　(2) 軽度障害：障害物を安全にまたぐことはできるが，そのために速度を緩め歩幅を合わせる必要あり．
   　　　　　(1) 中等度障害：いったん停止したり掛け声があれば障害物をまたぎ越えられる．
   　　　　　(0) 重度障害：介助なしに実行することができない．

7. **障害物の周りを回る**
   指示：「普段の速さで歩いてください．最初の障害物（約1.8 m先）まで行ったら右へ回ってください．2番目の障害物（さらに約1.8 m先）まで行ったら今度は左へ回ってください」

表3-15 つづき

段階づけ：(3) 正常：歩行速度を維持したまま障害物を回ることが可能，平衡が保たれている．
(2) 軽度障害：障害物を安全に回ることはできるが，そのために歩行速度を緩め歩幅を合わせる必要あり．
(1) 中等度障害：2つの障害物を回ることはできるが，その際に極端に歩行速度を落としたりあるいは掛け声を必要としたりする．
(0) 重度障害：障害物を回ることができず障害物の一方または両方に接触，介助を要する．

8) 階段昇降
指示：「普段のように階段を昇ってください（必要であれば手すりを用いる）．上まで昇ったら向きを変えて降りてきてください」
段階づけ：(3) 正常：1足1段で，手すりを使用しない．
(2) 軽度障害：1足1段で，手すりを使用する．
(1) 中等度障害：1足2段で，手すりを使う．
(0) 重度障害：安全に行うことができない．

(Shumway-Cook A, et al: Motor control: theory and practical applications. Williams & Wilkins, 1995.)

と相関がある．FGAの高齢者におけるカットオフ値は22/30点以下である．

3) Timed Up and Go test (TUG)[41]

開始肢位は，背もたれに軽くもたれかけ，両足を床につけ，手は大腿部の上に置いた姿勢とする．椅子から立ち上がり，3m先の目印を回って，再び椅子に座る離殿から着殿までの時間を測定する．TUGはDHIと強い相関があり[42]，前庭障害患者ではTUGが11秒以上で，転倒の危険性が高い[43]．

4) 動体視力検査 (Dynamic Visual Acuity Test：DVA) (図3-17)[44]

前庭動眼反射が障害されると，網膜上に映し出された視覚情報は頭部の動きに伴って，網膜上で像のズレが生じ，視力の低下を引き起こす．DVAは，動体視力を維持する前庭動眼反射（VOR）の機能障害の程度を定量化する検査である．視力表にはShallen Eye Chart (http://www.i-see.org/eyecharts.html) が用いられる．

表3-16 Functional Gait Assessment（FGA）[39]

1. **平地の歩行**
   段階付け：（3）正常：補助具なし・良好な歩行速度・平衡が保たれている・正常歩行パターン
   　　　　　（2）軽度障害：歩行速度がやや遅い・軽度の歩行の乱れ・歩行補助具を使用
   　　　　　（1）中等度障害：歩行速度がかなり遅い・著明な歩行の乱れ
   　　　　　（0）重度障害：介助なしに6m歩けない・重度の歩行障害や不安定性

2. **歩行速度を換える**
   普通の速さ（1.5m間），できる限り速く（1.5m間），できる限りゆっくり（1.5m間）
   段階付け：（3）正常：平衡の崩れや歩行パターンの乱れがなく滑らかな速度変更が可能．3つの歩行速度（通常歩行・速歩・低速歩行）の違いが明らか．
   　　　　　（2）軽度障害：歩行速度の変更は可能であるが歩行パターンに軽度の乱れ．歩行パターンの乱れはないが速度変更が困難．歩行補助具を使用．
   　　　　　（1）中等度障害：歩行速度をほんのわずかしか換えられない．歩行速度を換えると歩行パターンに著明な乱れを生じる．
   　　　　　（0）重度障害：歩行速度を換えられない．バランスを崩し支持なしで歩行できない．

3. **水平方向へ頭部を回旋して普通の速さで歩く**
   段階付け：（3）正常：歩容を変えることなく滑らかな頭部回旋が可能．
   　　　　　（2）軽度障害：歩行パターンのわずかな乱れはあるが滑らかな頭部回旋が可能．歩行補助具を使用している．
   　　　　　（1）中等度障害：頭部回旋は可能だが歩行パターン（速度や平衡）に中等度の乱れ．歩行の持続は可能．
   　　　　　（0）重度障害：頭部回旋はかろうじて可能だが歩行パターンに著明な乱れ（37.5cm幅の歩行路外によろめくなど）．支持なしで歩行できない．

4. **垂直方向へ頭部を回旋して普通の速さで歩く**
   段階付け：（3）正常：歩容を変えることなく滑らかな頭部回旋が可能．
   　　　　　（2）軽度障害：歩行パターンのわずかな乱れはあるが滑らかな頭部回旋が可能．歩行補助具を使用．
   　　　　　（1）中等度障害：頭部の回旋は可能だが歩行パターンに中等度の乱れ．歩行の持続は可能．
   　　　　　（0）重度障害：頭部回旋はかろうじて可能だが歩行パターンに著明な乱れ．支持なしで歩行できない．

表3-16 つづき

5. **歩行中にターンをして止まる**
   段階付け：(3) 正常：3秒以内に安全に回転し平衡を崩すことなくすばやく停止.
   (2) 軽度障害：3秒以上かかるが安全に回転平衡を崩すことなく停止.
   (1) 中等度障害：回転に時間がかかり停止後の平衡を保つのに何度か踏み直りが必要.
   (0) 重度障害：安全に方向転換できず介助が必要.

6. **歩行中，障害物を越える（靴箱2つ程度の高さ）**
   段階付け：(3) 正常：歩行速度を維持したまま障害物を跨ぐことが可能．平衡が保たれている．
   (2) 軽度障害：1つ程度の障害物を安全にまたぐことはできるが，そのために速度を緩め歩幅を合わせる必要あり.
   (1) 中等度障害：速度を調整したり，掛け声があれば障害物をまたぎ越えられる．
   (0) 重度障害：介助なしに実行することができない.

7. **タンデム歩行**
   段階付け：(3) 正常：10歩可能
   (2) 軽度障害：7〜9歩可能
   (1) 中等度障害：4〜7歩可能
   (0) 重度障害：4歩未満または介助なしに歩くことができない.

8. **閉眼歩行（6m）**
   段階付け：(3) 正常：6m歩行可能，歩行補助具なし，歩行時間7秒未満，歩行パターン乱れなし，30cm幅の歩行路の外側15cm以内のよろめき．
   (2) 軽度障害：6m歩行可能，歩行補助具あり，歩行時間7秒以上9秒未満，歩行パターンのわずかな乱れ，30cm幅の歩行路の外側15〜25cm以内のよろめき．
   (1) 中等度障害：6m歩行可能，歩行時間9秒以上，歩行パターンの乱れあり，30cm幅の歩行路の外側25〜38cm以内のよろめき．
   (0) 重度障害：介助なしで6m歩行不可能，歩行パターンの著名な乱れ，30cm幅の歩行路の外側38cm以上のよろめき．

9. **後ろ向き歩き（6m）**
   段階付け：(3) 正常：6m歩行可能，歩行補助具なし，歩行パターン乱れなし，30cm幅の歩行路の外側15cm以内のよろめき．

表3-16 つづき

　　　(2) 軽度障害：6m歩行可能，歩行補助具あり，歩行速度が少し遅い，歩行パターンのわずかな乱れ，30cm幅の歩行路の外側15〜25cm以内のよろめき．
　　　(1) 中等度障害：6m歩行可能，歩行速度遅い，歩行パターンの乱れあり，30cm幅の歩行路の外側25〜38cm以内のよろめき．
　　　(0) 重度障害：介助なしで6m歩行不可能，歩行パターンの著名な乱れ，30cm幅の歩行路の外側38cm以上のよろめき．

10. 階段昇降
　　段階付け：(3) 正常：1足1段で，手すりを使用しない．
　　　(2) 軽度障害：1足1段で，手すりを使用する．
　　　(1) 中等度障害：1足2段で，手すりを使う．
　　　(0) 重度障害：安全に行うことができない．

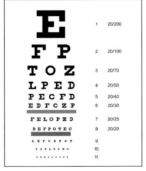

図3-17　動体視力検査（DVA）
座位で静止視力を測定した後，すばやく頭部を回旋させて動体視力を測定する．

　3m先に，視力検査表を座位の高さで貼付する．検査は坐位，両眼にて，上から，かつ左から順に下へ確認し，最も下で確認できたラインを基準値とする．
　次いで検者は被検者の頭を支え，水平方向に2Hz（1秒間に4回）の速さで他動的に，各方向30°程度，左右方向に60°程度の可動範囲で，頭部を回旋させる．この時にメトロノームを用いるとよい（240BPM）．検査は上から，かつ右から

順に下へ確認し，最も下で確認できたラインを計測値とする．
　判定は，安静視力より3段階以上下段の認識の場合，VOR機能が低下していると判断する．なお，健常成人は1段階，健常高齢者では2段階低下は正常とされる．
　静止視力と動体視力のズレが大きいほど，前庭系の障害が顕著である．また，DVAは転倒，Dynamic Gait Index，TUGとの関連性が示されている．
　その他の動体視力の検査法として，以下のものがある[45]．
①Herdmanの方法：トレッドミルを使用し，歩行中に測定を行う．
②KVA(Kinetic Visual Acuity)：遠方から自分のほうへ近づいて来る目標を見る時の視力．高齢者運転免許更新時の検査など，交通などの分野で用いられている．
③KOWA AS-4C：眼前50mから2mまでランドル環が時速30mの速度で直進し，切れ目を確認できた距離から視力を測定する．

めまい・平衡障害の診断のための検査

1. 眼振検査[1]

　眼振には，衝動性眼振と振子様眼振がある．めまい患者で観察される衝動性眼振とは，ゆっくりとした眼球の動き（緩徐相）と反対方向への速い眼球の動き（急速相）が，リズミカルに生じる眼球運動である．急速相の向きが眼振の向き，と定義されている．
　眼振検査は，前庭リハビリテーションの処方以前に，評価されていることが多い．しかし，発作性のめまいのある患者では，発作時に眼振が出現し，変化することがあるため，セラピストも評価できるようにしておくとよい．
　眼振の記載と表現方法について図3-18に示す．眼振の方向は急速相向きの矢印で記載する．

1) 自発眼振検査

　裸眼や非注視下で正面眼位の眼振を観察する．正常であれば，眼振は注視にて抑制される．裸眼よりフレンツェル眼鏡（図3-19），赤外線CCDカメラのほ

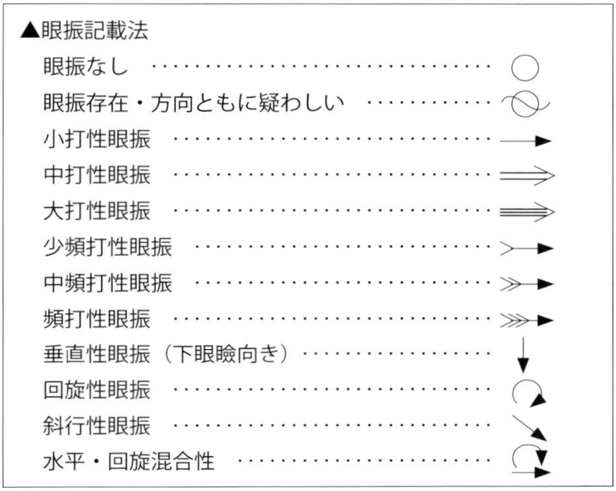

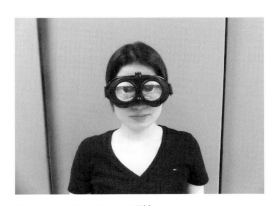

図3-18　眼振の記載例

図3-19　フレンツェル眼鏡

うが，検出率が高い．

2) 注視眼振検査（図3-20）

　正面，左右，上下注視時の眼球運動を観察し，前庭迷路から中枢に至る病変の診断を目的とする検査である．被験者の頭部が動かないよう，前額部などを軽く固定し，眼前50cm程度に視標を提示し，注視させる．正面，左右，上下

図3-20　注視眼振検査

　30°に移動させた視標を注視させ，眼振を観察する．30°を超え極度に側方視させると，眼位の保持が困難となり，極位眼振が健常者でも観察されることがある．

　末梢性前庭障害の急性期では，定方向性水平性眼振（または水平回旋混合性眼振）が見られる．右向き水平性眼振が観察される場合，右方視で最も眼振が強く，左方視で眼振が弱くなる．定方向性の水平性眼振が見られる場合，ほとんどが末梢性であるが，小脳や脳幹の片側の障害が原因のこともある．

　純回旋性眼振，垂直性（上眼瞼向き，下眼瞼向き）眼振，注視方向性眼振が見られる場合は，中枢性疾患が原因と考えられる（図3-21）．

3）頭位眼振検査（図3-22）

　頭位を変化させ，耳石器からの刺激を変化させることによって誘発される眼振を観察する．フレンツェル眼鏡や赤外線CCDカメラを用いて，固視の影響を取り除いて行う．

　仰臥位，右下頭位，左下頭位，懸垂頭位，懸垂右下頭位，懸垂左下頭位の6頭位で，眼振の観察を行う．

　末梢前庭機能障害では，定方向性水平性眼振（または水平回旋混合性眼振）が観察される．純回旋性眼振や垂直性眼振が観察された場合は，中枢性疾患が疑われる．外側半規管型の良性発作性頭位めまい症では，右下頭位と左下頭位で方向が交代する水平性の眼振が観察される．その方向により，半規管結石症やクプラ結石症と診断できる．詳細は良性発作性頭位めまい症の節（p.22）を参照．

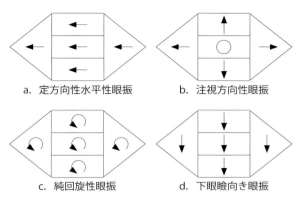

a. 定方向性水平性眼振　　b. 注視方向性眼振

c. 純回旋性眼振　　d. 下眼瞼向き眼振

図3-21　注視眼振検査

右下懸垂頭位	懸垂頭位	左下懸垂頭位
右下頭位	仰臥位	左下頭位

a. 記載方法

b. 仰臥位

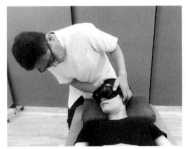

c. 右下頭位

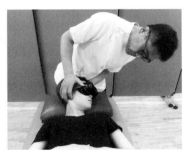

d. 左下頭位

図3-22　頭位眼振検査

4) 頭位変換眼振検査（図3-23）

頭位を急速に変化させたときに出現する眼振を観察する．フレンツェル眼鏡や赤外線CCDカメラを用いて，座位から懸垂頭位，懸垂頭位から座位にした直後の眼振を観察する．

Stenger法とDix-Hallpike法がある．Dix-Hallpike法は，半規管の中で垂直半規管のみを刺激することができる検査で，主として後半規管型BPPVの診断に用いられる．良性発作性頭位めまい症の評価に有用である．懸垂頭位にて下眼瞼向き眼振が観察される場合は，前半規管型の良性発作性頭位めまい症や小脳脳幹障害が疑われる．

2. 前庭機能検査[1]

内耳前庭には半規管と耳石器があり，それらの機能を評価する検査である．リハビリテーション処方以前に評価されていることが多いが，セラピストも結

```
┌─────────┐    ┌─────────┐    ┌─────────┐
│右下懸垂頭位│    │ 懸垂頭位 │    │左下懸垂頭位│
├─────────┤    ├─────────┤    ├─────────┤
│右45°捻転座位│   │  座位   │   │左45°捻転座位│
└─────────┘    └─────────┘    └─────────┘
 右：Dix-Hallpike法  中：Stenger法  左：Dix-Hallpike法
```
a. 記載方法

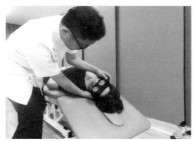

b. 左45°頸部捻転座位　　　c. 左Dix-Hallpike法

図3-23　頭位変換眼振検査

果を解釈できるほうがよい．

1) Head Impulse Test (HIT)（図3-24）[46,47]

HITは，急速に頭部を動かしたときの眼球運動を観察して，外側半規管の前庭動眼反射の評価を行う方法である．ベッドサイドで簡単に行うことが可能である．

被験者に固定した視標を注視するように示したうえで，被験者の頭部を急速に10～20°程度，左右に回旋させる．外側半規管機能が正常であれば，前庭動眼反射が働き，固視したままでいられる．半規管障害を有すると，患側方向へ頭を回旋させた際に，前庭動眼反射が働かず，視標と眼位にズレを生じ，視標を捉えるための急速眼球運動が直後に生じる．この眼球運動はcorrective saccadeと呼ばれ，この運動が観察される場合，半規管機能低下と判定される．

2) Video Head Impulse Test (vHIT)（図3-25）

6つの半規管それぞれの前庭動眼反射の利得（VOR gain）を定量的評価する

a. 被験者に一点を固視させる．

b. 固視させたまま急速に右へ回旋する．

c. 固視させたまま急速に左へ回旋する．

図3-24　Head Impulse Test (HIT)

ことができ，corrective saccadeについては，頭部刺激後に見られるovert saccadeだけでなく，頭部刺激中のcovert saccadeについても確認することができる．

　被験者を椅子に座らせ，約1m離れた視標を固視させる．検者は被験者の後ろに立ち，頭部または顎を両手でしっかり把持し，検査する半規管平面に合わせて頭部を約10°急速に回転させる．

　VOR gainのカットオフ値は，外側半規管刺激は0.8，垂直半規管刺激は0.7とされており，数値未満の場合，その半規管の機能低下を示唆する．Corrective saccadeの角速度が生理的なものより明らかに大きく再現性がある場合も，半規管の機能低下を示唆する．

3) 頭振後眼振検査 (head shaking nystagmus test) (図3-26)

　30°前屈姿勢にて検者が頭部を持ち，患者の頭を左右に振る．2Hz程度で20回程度振る．静止直後より，フレンツェル眼鏡にて眼振を観察する．数発眼振が出現すれば，異常と判定し，前庭機能の左右不均衡が存在すると考えられる．

4) 温度刺激検査 (カロリックテスト)

　経外耳道的に温度刺激を与えることによって，外側半規管に内リンパ流動を起こし，外側半規管の刺激，または抑制により解発される眼振を指標として，外側半規管の機能を調べる．正常であれば眼振が解発され，十分に眼振が解発されないと半規管麻痺 (CP) と判定される．

　刺激方法には，注水法，エアーカロリックテスト，冷温交互試験と冷刺激のみを行う方法，温度刺激後に眼振の持続時間を計測する方法，最大緩徐相速度を計測する方法がある．Jongkeesの式からCP％を算出し，20％を超えるとCPと判定し，末梢前庭機能障害と診断できる．

- Jongkeesの式：$CP(\%) = [(RC+RW) - (LC+LW)] / (RC+RW+LC+LW) \times 100$

(RC：右耳冷刺激，RW：右耳温刺激，LC：左耳冷刺激，LW：左耳温刺激時の眼振の最大緩徐相速度または眼振持続時間)

5) 前庭誘発筋電位検査 (Vestibular Evoked Myogenic Potential：VEMP) (図3-27)[48]

　VEMPは，巨大な音響刺激が耳石器を刺激することを利用した誘発筋電位検

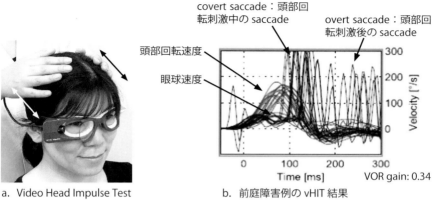

a. Video Head Impulse Test
b. 前庭障害例の vHIT 結果

c. 右正常，左前庭機能障害例の vHIT 結果

図 3-25 Video Head Impulse Test

査で，頸筋から記録し球形嚢の機能評価をする前庭誘発頸筋電位検査（cervical VEMP：cVEMP），および外眼筋から記録し卵形嚢の機能評価をする前庭誘発眼筋電位検査（ocular VEMP：oVEMP），の2種類の記録方法がある．

　cVEMPは，巨大な音響刺激が球形嚢を刺激し，それが下前庭神経を通じて，

図3-26　頭振後眼振検査

前庭神経核，同側内側前庭脊髄路を介して胸鎖乳突筋に達して発生する．cVEMPの波形は，潜時13ms付近の陽性波(p13)と，潜時23ms付近の陰性波(n23)の二相性の波形が得られる．障害があるとp13－n23の振幅の低下，あるいは無反応となる．

　oVEMPは，巨大な音響刺激が卵形嚢を刺激し，それが上前庭神経を通じて，前庭神経核，脳幹内で交叉して対側の動眼神経へと伝わり，対側の下斜筋を収縮させることによって生じる．oVEMPの波形は，潜時10ms付近の陰性波(n10)と，潜時15ms付近の陽性波(p15)の二相性の波形が得られる．障害があるとn10－p15の振幅の低下，あるいは無反応となる．

3. 小脳脳幹機能検査[1)]

1) 追跡眼球運動検査 (Eye Tracking Test：ETT)

　被検者の30～60cm前方に視標を示し，それをゆっくり左右，上下に動かし，固視・追跡させる．その際，頭部は固定した状態で眼球のみで追視し，眼球運動を観察する．

　正常であれば，視標の動きに一致した滑らかな眼球運動が維持される．視標に対する眼球運動の遅れと，それを補完する急速眼球運動が繰り返されると階段状眼球運動となり，固視機能も障害されると失調様眼球運動となる．このような所見が観察された場合，小脳や脳幹障害を疑う．

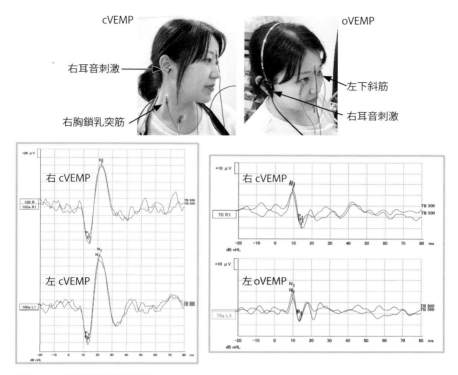

図3-27　前庭誘発筋電位検査

2) 急速眼球運動検査（Saccade）

被検者の30～60cm前方に2点の視標を示し，交互にすばやく注視させる．その際，頭部は固定した状態で眼球のみで追視し，眼球運動を観察する．正常であれば，正確に視標を捉えることができる．側方注視時に視標を越えての固視（overshoot）や，視標まで到達しない（undershoot）状態が認められる場合は，小脳・脳幹障害を疑う．

3) 視運動性眼振検査（Optokinetic Nystagmus：OKN）

視野全体が動く視覚パターンの刺激を与えると，正常であれば，追従する眼球運動（緩徐相）と反対側への急速な眼球運動（急速相）をリズミカルに繰り返す眼振（視運動性眼振）が生じる．小脳・脳幹障害では，追従機能が障害され，視運動性眼振が解発されなくなる．

理学療法評価　めまい，平衡障害

患者氏名：	日付：
診断：	職業：

主観的評価

1. 主な症状：
   発症日：

2. めまいのような症状を経験したことがありますか？　　　　　　　　　はい　　いいえ

3. 平衡感覚が不安定になることはありますか？　　　　　　　　　　　　はい　　いいえ

4. ふらつき（失神をしそうな感覚）を感じることはありますか？　　　　はい　　いいえ

5. Oscillopsia[動揺視]（頭部を動かすと視界が不安定になる）を
   感じたことはありますか？　　　　　　　　　　　　　　　　　　　　はい　　いいえ
   VAS　めまい　　　　　　　　　範囲_____/10；現在_____/10
   VAS　浮遊感　　　　　　　　　範囲_____/10；現在_____/10
   VAS　平衡感覚異常　　　　　　範囲_____/10；現在_____/10
   VAS　Oscillopsia[動揺視]　　範囲_____/10；現在_____/10

6. 過去 12 カ月以内に転倒しましたか？　　　　　　　　　　　　　　　 はい　　いいえ

7. 歩行時に片側に寄ってしまうことがありますか？　　　　　　　　　　はい　　いいえ

8. 既往歴（最近または最後に発症したものを記入してください．）

・頸部や背部の疾患	はい　いいえ_____
・最近の事故 / 外傷	はい　いいえ_____
・細菌 / ウイルス感染	はい　いいえ_____
・脳卒中	はい　いいえ_____
・糖尿病	はい　いいえ_____
・心疾患	はい　いいえ_____
・頭痛 / 片頭痛	はい　いいえ_____
・呼吸器疾患	はい　いいえ_____
・変形性関節症	はい　いいえ_____
・視覚障害	はい　いいえ_____
・聴覚障害	はい　いいえ_____
・癌	はい　いいえ_____
・アレルギー	はい　いいえ_____
・うつ病	はい　いいえ_____
・物忘れ	はい　いいえ_____
・HIV	はい　いいえ_____
・多発性硬化症	はい　いいえ_____
・メニエール病	はい　いいえ_____
・最近の体重減少	はい　いいえ_____
・衰弱または麻痺	はい　いいえ_____

9. 現在内服中の薬を全て記載してください

10. 社会歴

・同居人はいますか？	はい　いいえ_____
・自宅に段差はありますか？	はい　いいえ_____
・タバコは吸いますか？何本吸いますか？	はい　いいえ_____
・飲酒はしますか？どの程度ですか？	はい　いいえ_____
・睡眠はとれていますか？	はい　いいえ_____

11. 発症前の機能レベルはどのよう状況でしたか？

12. 現在の機能状態

・自主的にセルフケアを行っていますか？	はい　いいえ_____
・日中，夜間に運転はできますか？	はい　いいえ_____
・現在仕事はしていますか？	はい　いいえ_____
・身体障害者手帳は取得していますか？	はい　いいえ_____

13. DHI：めまいに関するアンケート
あなたがめまいによって，日常生活上どのような支障をきたしているのかについての質問です．それぞれの質問に「はい」「時々」「いいえ」のどこにあたるか○をしてください．

		はい	時々	いいえ
1	上を見上げると，めまいは悪化しますか？			
2	めまいのために，ストレスを感じますか？			
3	めまいのために，出張や旅行などの遠出が制限されていますか？			
4	スーパーマーケットなどの陳列棚の間を歩く時に，めまいが増強しますか？			
5	めまいのために，寝たり起きたりすることに支障をきたしますか？			
6	めまいがひどいために，映画，外食，パーティーなどに行くことを制限していますか？			
7	めまいのために，本などを読むのが難しいですか？			
8	スポーツ，ダンス，掃除や皿を片付けるような家事などの動作でめまいが増強されますか？			
9	めまいのために，1人で外出するのが怖いですか？			
10	めまいのために，人前に出るのが嫌ですか？			
11	頭をすばやく動かすと，めまいが増強しますか？			
12	めまいのために，高い所へは行かないようにしていますか？			

13	寝返りをすると,めまいが増強しますか?			
14	めまいのために,激しい家事や庭掃除などをすることが困難ですか?			
15	めまいのために,周囲から自分が酔っているように思われているのではないかと心配ですか?			
16	めまいのために,1人で散歩に行くことが困難ですか?			
17	歩道を歩くときに,めまいは増強しますか?			
18	めまいのために,集中力が妨げられていますか?			
19	めまいのために,夜暗い中,家の周囲を歩くことが困難ですか?			
20	めまいのために,家に1人でいることが怖いですか?			
21	めまいのために,自分がハンディキャップを背負っていると感じますか?			
22	めまいのために,家事や友人との関係にストレスが生じていますか?			
23	めまいのために,気分が落ち込みがちになりますか?			
24	めまいのために,あなたの仕事や家事における責任感が損なわれていますか?			
25	身体をかがめると,めまいが増強しますか?			

DHI スコア:はい_____×4=_____ ; NO_____×0=_____ ; 時々_____×2=_____

合計:_____

14. The ABC Scale:
このアンケートは,あなたが日常のさまざまな動作を行うときにバランスを崩したり,ふらついたりせずにできる自信がどの程度あるかを調べるためのものです.質問事項の動作を最近していない場合には,行った場合を想定して回答してください.普段歩行器や杖を使用したり,誰かに掴まって動かれる方は,その状態で考えていただいて結構です.
『まったく自信がない:0%』,『完全に自信がある:100%』とし,今の状態をお答えください.

	質問内容	(%)	0	10	20	30	40	50	60	70	80	90	100
			自信がない										自信がある
1	家の中を歩き回ることができますか?		□	□	□	□	□	□	□	□	□	□	□
2	家の階段を上がったり下がったりできますか?		□	□	□	□	□	□	□	□	□	□	□
3	前かがみになって下駄箱からスリッパを取り出すことができますか?		□	□	□	□	□	□	□	□	□	□	□
4	棚の目の高さにある小さな缶(箱)が取り出すことができますか?		□	□	□	□	□	□	□	□	□	□	□

5	つま先立ちをして自分の頭より上にある物をとることができますか？	☐	☐	☐	☐	☐	☐	☐	☐	☐
6	椅子の上に立って物をとることができますか？	☐	☐	☐	☐	☐	☐	☐	☐	☐
7	床をほうきやモップで掃除ができますか？	☐	☐	☐	☐	☐	☐	☐	☐	☐
8	家の外に駐車した車の所まで歩くことはできますか？	☐	☐	☐	☐	☐	☐	☐	☐	☐
9	車の乗り降りはできますか？	☐	☐	☐	☐	☐	☐	☐	☐	☐
10	ショッピングモールの駐車場を横切って店舗に入ることはできますか？（高速道路のパーキングエリアから建物に入れますか）	☐	☐	☐	☐	☐	☐	☐	☐	☐
11	坂道を上がったり下がったりすることはできますか？	☐	☐	☐	☐	☐	☐	☐	☐	☐
12	混雑下ショッピングモールや駅の構内で，人があなたを追い越していくなか，歩くことができますか？	☐	☐	☐	☐	☐	☐	☐	☐	☐
13	混雑した場所で人にぶつからずに歩くことができますか？	☐	☐	☐	☐	☐	☐	☐	☐	☐
14	手すりをつかんでエスカレーターを乗り降りできますか？	☐	☐	☐	☐	☐	☐	☐	☐	☐
15	両手が荷物でふさがった状態（手すりを使わない状態）でエスカレーターを乗り降りできますか？	☐	☐	☐	☐	☐	☐	☐	☐	☐
16	凍った（滑りやすい）道路を歩くことができますか？	☐	☐	☐	☐	☐	☐	☐	☐	☐

前庭機能評価

・SHARP-PURSER TEST	＋ OR －	REFER OUT IF ＋_____
・ALAR LIGAMENT	＋ OR －	REFER OUT IF ＋_____
・LATERAL SHEAR TEST	＋ OR －	REFER OUT IF ＋_____
・mVAT	＋ OR －	REFER OUT IF ＋_____
・OCULAR ALIGNMENT	＋ OR －	_____
・SPONTANEOUS NYSTAGMUS（自発眼振）	＋ OR －	_____
・GAZE EVOKED NYSTAGMUS（注視誘発眼振）	＋ OR －	1st/2nd/3rd degree _____
・SMOOTH PURSUIT（滑動性眼球運動）	＋ OR －	_____
・SACCADIC EYE MOVEMENTS（衝動性眼球運動）	＋ OR －	_____
・VORc	＋ OR －	_____
・HEAD IMPULSE TEST（HIT）	＋ OR －	_____
・DIX-HALLPIKE TEST (R)	＋ OR －	_____
・DIX-HALLPIKE TEST (L)	＋ OR －	_____

・ROLL TEST (R)	＋ OR －	_____
・ROLL TEST (L):	＋ OR －	_____
・HEAD-NECK DIFFERENTIATION TEST	＋ OR －	_____
・NECK TORSION SMOOTH PURSUIT TEST:	＋ OR －	_____
・JOINT POSITION ERROR TEST（関節位置覚）	＋ OR －	_____

バランス機能評価

・ROMBERG	＋ OR －	_____
・SHARPENED ROMBERG	＋ OR －	_____
・UNIPEDAL STANCE TEST	＋ OR －	_____
・FUNCTIONAL REACH TEST（FRT）	＋ OR －	_____
・4 STEP SQUARE TEST	＋ OR －	_____
・TIMED UP AND GO TEST（TUG）	＋ OR －	_____
・TIMED UP AND GO TEST COGNITIVE	＋ OR －	_____
・BERG BALANCE SCALE（BBS）	＋ OR －	_____
・MINI BEST TEST	＋ OR －	_____
・COMP DYNAMIC POSTUROGRAPHY	＋ OR －	_____

mCTSIB（modified Clinical Test of Sensory Interaction in Balance）

・CONDITION 1：	0　1　2　3	・CONDITION 4：	0　1　2　3
・CONDITION 2：	0　1　2　3	・CONDITION 5：	0　1　2　3

DYNAMIC GAIT INDEX：DGI

1. 平地歩行	0　1　2　3	5. 歩行とターン	0　1　2　3
2. 歩行速度を変える	0　1　2　3	6. 障害物を超える	0　1　2　3
3. 水平頭部回旋	0　1　2　3	7. 障害物周囲を回る	0　1　2　3
4. 垂直頭部回旋	0　1　2　3	8. 階段昇降	0　1　2　3

合計_____/24（高齢者は 19 点未満で転倒リスク）

FUNCTIONAL LOWER LIMB STRENGTH

起立着座テスト（5 回）	_____秒
起立着座テスト（30 秒）	_____回

GAIT ASSESSMENT

・歩行率（CADENCE）	_____
・BOS	NARROW / NORMAL / WIDE
・STEP LENGTH EQUAL	はい　いいえ　_____
・ARM SWING SYMMETRICAL	はい　いいえ　_____
・HEAD & TRUNK ROTATION?	はい　いいえ　_____
・STRAIGHT PATH OF GAIT（直線歩行）	はい　いいえ　_____
・INCREASED PACE（歩幅拡大）	ABLE / NOT ABLE　_____
・10m 歩行テスト	_____
・FGA	＋ OR －____/30（高齢者は 22 点未満で転倒リスク）

MOTION SENSITIVITY QUOTIENT：MSQ

動作	強さ (0-5)	長さ (0-3)	スコア (強さ＋長さ)	備考
1　座位→仰臥位				
2　仰臥位→左側臥位				左へ寝返り(戻る)
3　仰臥位→右側臥位				右へ寝返り(戻る)
4　仰臥位→座位				起き上がる
5　座位→左 Dix-Hallpike				左向いて後ろへ倒れる
6　左 Dix-Hallpike →座位				左向いたまま起きる
7　座位→右 Dix-Hallpike				右向いて後ろへ倒れる
8　右 Dix-Hallpike →座位				右向いたまま起きる
9　座位で頭部を左膝につける				左膝へおじぎで止まる
10　左膝から頭部を上げる				9 から戻る
11　座位で頭部を右膝につける				右膝へおじぎで止まる
12　右膝から頭部を上げる				11 から戻る
13　座位で頭部を 5 回回旋する				左右に 5 回首を振る
14　座位で頭部を上下に 5 回動かす				上下に 5 回首を振る
15　立位にて右に 180 度回転する				まわれ右で止まる
16　立位にて左に 180 度回転する				まわれ左で止まる
合計				

強さ：0 - 5 点（0= 症状なし　5= 非常に強い症状）
長さ：0 - 3 点（0 - 4 秒 =0 点　5 - 10 秒 =1 点　11 - 30 秒 =2 点　30 秒以上 =3 点）

総点数	点	
症状のあった動作数	個	
MSQ score	点	Mild ・ moderate ・ severe

MSQ score ＝ 総点数×症状があった動作の数÷ 20.48
　　　　　（0-10 点：mild, 11-30 点：moderate, 31-100 点：severe）

神経筋機能評価

ROM WFL：	はい　いいえ	_____
MMT WFL：	はい　いいえ	_____
UMN（上位運動ニューロン）TESTING：	＋/－	_____
Cerebellar（小脳）TESTING：	＋ OR －	_____
その他		_____

©Eric Glenn Johnson, PT, DSc, MS-HPEd, NCS, 2022.

■ 文 献

1) 日本めまい平衡医学会：「イラスト」めまいの検査 改訂第3版．診断と治療社，2018．
2) Clark MR. et all: Psychiatric and medical factors associated with disability in patients with dizziness . Psychosomatics 34: 409-415, 1993.
3) Spielberger CD, et al: Manual for the state-trait anxiety inventory. Consulting Psychologist Press, Palo Alto, Calif, 1970
4) Grigol TA, Silva AM, Ferreira MM, Manso A, Ganança MM, Caovilla HH. Dizziness Handicap Inventory and Visual Vertigo Analog Scale in vestibular dysfunction. Int Arch Otorhinolaryngol 20: 241-243, 2016
5) Jacobson GP, et al: The development of the dizziness handicap inventory. Arch Otolaryngol Head Neck Surg 116: 424-427, 1990.
6) 増田佳奈子, 他：めまいの問診票（Dizziness Handicap Inventory）の有用性の検討．Equilibrium Res 63: 555-563, 2004.
7) Whitney SL, et al: Usefulness of the dizziness handicap inventory in the screening for benign paroxysmal positional vertigo. Otol Neurotol 26: 1027-1033, 2005.
8) Vereeck L, et al: The dizziness handicap inventory and its relationship with functional balance performance. Otol Neurotol 28: 87-93, 2007.
9) 五島史行, 他：末梢性めまい疾患における Vertigo handicap questionnaire（VHQ）の日本語版の信頼性，妥当性の検討．Equilibrium Res 69: 412-417, 2010.
10) Cohen HS: Development of the vestibular disorders activities of daily living scale. Arch Otolaryngol Head Neck Surg 126: 881-887, 2000.
11) Powell LE, et al: The Activities-specific Balance Confidence (ABC) Scale. J Gerontol A Biol Sci Med Sci 50A: M28-34, 1995.
12) Marchetti GF, et al: Factors associated with balance confidence in older adults with health conditions affecting the balance and vestibular system. Arch Phys Med Rehabil 92: 1884-1891, 2011.
13) Yardley L, et al: Symptoms, anxiety and handicap in dizzy patients: Development of the vertigo symptom scale. J Psychosom Res 36: 731-741, 1992.
14) Wilhelmsen K, et al: Psychometric properties of the vertigo symptom scale—Short form. BMC, Nose and Throat Dsorders 8: 2, 2008.
15) Kondo et al: Analysis of vestibular-balance symptoms according to symptom duration: dimensionality of the Vertigo Symptom Scale-short form. Health and Qual Life Outcomes 13: 4, 2015.
16) 近藤真前, 他：めまい症状尺度短縮版（Vertigo Symptom Scale-short form）日本語版の使用経験．Equilibrium Res 75(6)：489-497, 2016.
17) Zung WWK: A self-rating depression scale. Arch Gen Psychiatry 12: 63-70, 1965.
18) 浅井友詞, 浅井勇人：理学療法検査・測定ガイド脳神経系検査，p323-346, 文光堂，2023．
19) Wrisley DM, et al: Cervicogenic dizziness: a review of diagnosis and treatment. J Orthop Sports Phys Ther 30: 755-766, 2000.
20) Whitney SL, et al: Clinical measurement of sit-to-stand performance in people with balance disorders: validity of data for the Five-Times-Sit-to-Stand Test. Phys Ther 85(10): 1034-1045, 2005.
21) 中谷敏昭, 他：30秒椅子立ち上がりテスト（CS-30テスト）成績の加齢変化と標準値の作成．臨床スポーツ医学　20(3)：349-355, 2003.
22) Smith-Wheelock M, et al: Physical therapy program for vestibular rehabilitation.

Am J Otol 12: 218-225, 1991.
23) Shepard NT, et al: Habituation and balance training therapy. Neurol Clin 5: 459, 1990.
24) Vereeck L, et al: The dizziness handicap inventory and its relationship with functional balance performance. Otol Neurotol 28: 87-93, 2007.
25) Vellas BJ, et al: One-leg balance is an important predictor of injurious falls in older persons. J Am Geriatr Soc 45: 735-738, 1997.
26) Hurvitz EA, et al: Unipedal stance testing as an indicator of fall risk among older outpatients. Arch Phys Med Rehabil 81: 587-591, 2000.
27) 山中敏彰：重心動揺検査の臨床学；Equilibrium Res 81(1)：1-15, 2022.
28) 岩﨑真一：ラバー負荷検査．Equilibrium Res 70(1)：43-45, 2011.
29) 岩﨑真一：重心動揺検査によるめまい・平衡障害の診断：ラバー負荷検査と周波数解析を用いて．Equilibrium Res 77(4)：271-279, 2018.
30) Mulavara AP, et al: New analyses of the sensory organization test compared to the clinical test of sensory integration and balance in patients with benign paroxysmal positional vertigo. Laryngoscope 123: 2276-2280, 2013.
31) Wernick-Robinson M, et al: Functional reach: does it really measure dynamic balance? Arch Phys Med Rehabil 80: 262-269, 1999.
32) Berg KO, et al: Measuring balance in the elderly: preliminary development of an instrument. Physiother Can 41: 304-311, 1989.
33) Berg KO, et al: Clinical and laboratory measures of postural balance in an elderly population. Arch Phys Med Rehabil 73: 1073-1080, 1992.
34) Lajoie Y, et al: Predicting falls within the elderly community: comparison of postural sway, reaction time, the Berg balance scale and the Activities-specific Balance Confidence (ABC) scale for comparing fallers and non-fallers. Arch Gerontol Geriatr 38: 1126, 2004.
35) Dite W, et al: A clinical test of stepping and change of direction to identify multiple falling older adults. Arch Phys Med Rehabil 83: 1566-1571, 2002.
36) Whitney SL, et al: The reliability and validity of the Four Square Step Test for people with balance deficits secondary to a vestibular disorder. Arch Phys Med Rehabil 88: 99-104, 2007.
37) Shumway-Cook A, et al: Motor Control: Theory and Practical Applications. Williams & Wilkins, Baltimore, 1995.
38) Whitney SL, et al: The dynamic gait index relates to self-reported fall history in individuals with vestibular dysfunction. J Vestib Res 10: 99-105, 2000.
39) Wrisley DM, Kumar NA: Functional gait assessment: concurrent, discriminative, and predictive validity in communitydwelling older adults. Phys Ther. 90:761-773.2010.
40) 伏木宏彰：一側末梢前庭障害患者に対するDGI-FGA を用いたバランス歩行・転倒リスクの評価と前庭リハビリテーションの効果．Equilibrium Res 79(3) :171-181, 2020.
41) Podsiadlo D, et al: The timed " Up & Go": a test of basic functional mobility for frail elderly persons. J Am Geriatr Soc 39: 142-148, 1991.
42) Gill-Body KM, et al: Relationship among balance impairments, functional performance, and disability in people with peripheral vestibular hypofunction. Phys Ther 80: 748758, 2000.

43) Whitney SL, et al: The sensitivity and specificity of the Timed" Up & Go" and the Dynamic Gait Index for self-reported falls in persons with vestibular disorders. J Vestib Res 14: 397-409, 2004.
44) 3 Meter Eye Chart A4 size Shallen Eye Chart. (https://ascendbroking.co.uk/wp-content/uploads/2020/02/Snellen-Eyesight-Chart.pdf)
45) Sawaki K, et al: Sports and Kinetic Visual Acuity; Juntendo Medical Journal 68(4): 387-392, 2022.
46) Halmagyi GM, et al: The Video Head Impulse Test. Front Neurol 9; 8: 258, 2017.
47) 岩﨑真一：Video head impulse test(vHIT)記録の原理と実際．Equilibrium Res 78(4); 295-301, 2019.
48) 岩﨑真一：前庭誘発筋電位検査（VEMP）の基礎と臨床．耳鼻咽喉科展望．63(5); 198-205, 2020.

第4章

前庭機能低下症に対する
　リハビリテーション

前庭リハビリテーション

　前庭リハビリテーションは，1940年代にCawthorne[1]とCooksey[2]により最初に報告され，近年では本邦においても，前庭障害に対する前庭リハビリテーションの効果は数多く報告されている[3-10]．

　また，2016年には米国理学療法士協会からガイドラインが示され[11]，2022年に更新されたガイドライン[12]では，前庭機能低下により，めまい・ふらつき，オシロプシア，視線・歩行の不安定性，空間における姿勢制御の障害を起こし，個人の生活の質，日常生活，運転，および仕事の活動に悪影響を及ぼす可能性があると記載している．米国の成人の3分の1が前庭機能障害を患っており，その発生率は年齢とともに増加すると推定されている．

　前庭リハビリテーションは，前庭機能低下症において症状を軽減し，視線および姿勢の不安定性を改善し，前庭機能を改善するうえで根拠があるといわれている．さらにTjernstroら[13]は，めまい症状や姿勢訓練・改善にも適応があり，医療経済効果が高いとともに，将来的には①モバイルセンサーおよびモバイルアプリによるオンデマンドトレーニング，②仮想環境でのトレーニング（神経調節の使用），③前庭インプラントの開発，④ロボット支援歩行訓練，を取り入れることで，理学療法士の専門教育のための新たな基準，および病態生理学的概念に基づく新しいリハビリテーションプログラムの構築にも寄与する，と述べている．

　前庭障害患者は，めまいやふらつきなど，さまざまな症状を訴えるが，これらの症状は前庭動眼反射（VOR）と前庭脊髄反射（VSR）の機能障害により出現する．前庭障害は，前庭神経炎の後遺症，聴神経腫瘍摘出後，加齢変化などにより起こり，これらの障害に対して前庭リハビリテーションが適応となる．

　前庭リハビリテーションでは，①前庭適応（gaze stability exercise：GSE），②慣れ（habituation），③ほかの感覚での代償（substitution），を応用し，前庭障害の主症状であるめまい感やふらつき感に対して，①②③の前庭リハビリテーションを行う．前庭リハビリテーションの目的は，①姿勢不安定性を減少させること，②機能的バランス（動作時のバランス機能）を向上させること，③頭部運動時の視覚のブレ（動揺視）を減少させること，④身体的な状態と身体活動レベルを向上させること，⑤正常に近い社会的活動の参加に戻らせること，⑥社会的な孤立感を減少させること，である[14]．

前庭リハビリテーションは，評価をもとにVOR gain（眼球の速度/頭部の速度．正常な前庭機能では，頭部を右に回旋すると眼球は頭部とは逆に同じ速度で動き，この際のVOR gainを1.0とする．前庭障害では頭部の動きに対して眼球の動きが遅くなるため，VOR gainは1.0以下になる）が低下する場合にはgaze stability exercise，特定の動作によりめまいが起こる場合（動きの感受性異常）にはhabituation exercise，動的バランスに異常がある場合にはsubstitution exercise，をそれぞれ組み合わせたリハビリテーションプログラムを作成する（表4-1）．

リハビリテーションの進め方は，①安定→不安定，②静的→動的，③開眼→閉眼，④遅い→早い，⑤局所→全身，へと徐々に難易度を上げながら行っていく（表4-2）．

表4-1 基本的な前庭リハビリテーションプログラム

	Gaze stability exercise（固視安定）	Habituation（慣れ）	Substitution（代償）
前庭動眼反射の機能低下	○		
動きの感受性異常		○	
バランス機能の低下			○

表4-2 基本的な前庭リハビリテーションの進め方

姿勢	安定→不安定 例）座位→不安定な床面上での立位
動きの種類	静的→動的 例）静止立位→頭部の動きを伴った立位
視覚条件	開眼→閉眼 例）開眼立位→閉眼立位
動くスピード	遅い→早い 例）ゆっくりとした頭部の回旋→すばやい頭部の回旋
動かす部位	局所→全身 例）頭部の屈曲→体幹の屈曲

II 前庭障害における回復のメカニズム

　一側の前庭障害は，頭部の運動時に姿勢不安定性とめまい感を引き起こす．これらの症状は，VORとVSRの機能障害により出現する．VORの異常では頭部運動時に眼球運動の障害が出現し，VSRの障害では姿勢障害と歩行障害を引き起こす．

　前庭障害の急性期ではVOR gainは減少し，一般的に歩隔が広く，どちらか一方に偏位する．また，歩行時には頭部や体幹の動きも少なくなり，何かに掴まりながら歩行する傾向がある．このような前庭障害は，視覚情報の入力と頭部の動きを行うことで，回復につながる．VOR gainは，一側の前庭摘出を行ったネコやサルの実験で，暗闇に放置すると回復しにくく，さらに身体の動きを制限することで，姿勢安定性の回復が遅れることが知られている[15]．したがって，一側の前庭障害後の回復においては，視覚情報の入力や身体運動，特に頭部の動きが重要である．以下に，前庭障害における前庭機能の回復メカニズム，およびその方法について述べる．

1. Gaze stability exercise

　前庭障害によりVORの機能が低下し，動作時にめまいが引き起こされるが，前庭機能が適応することによりVORの機能が向上し，めまい症状が改善する．前庭機能の適応は，前庭摘出を行ったネコにおいて術後3日で認められ，VOR gainが向上する[16]．また，ヒトによる急性期の一側の前庭障害においても，前庭機能の適応が認められる．Pfaltz[17]は，一側の前庭障害患者に対して動的な視覚刺激を与えることにより，VOR gainが向上することを報告した．

　前庭の適応を引き起こす刺激は，網膜上での像のズレ（動揺視）であり，小脳や前庭神経核などの中枢神経系は前庭機能の1つであるVOR gainを増加させ，網膜上での像のズレを最小に抑えようと働く[18]．したがって，gaze stability exerciseでは，頭部や眼球を動かして網膜上での像のズレを引き起こすことにより，中枢神経系で適応を生じさせ，前庭系の働きを変化させることを目的とする（第1章 前庭代償）．

　この運動はめまい感を増強させる運動であり，患者にとっては苦痛を伴うため，運動の目的や回復のメカニズムを十分に理解させてから行う．また，「運動

によってめまいを起こさせることは，めまい感の減少につながる」などの声かけを行い，運動を継続的に行わせることが重要である．

1) Gaze stability exerciseの進め方
(1) 刺激の条件
Gaze stability exerciseを行う際は，エラー情報の視覚刺激である網膜上での像のズレの強度（速さや大きさ）の選択が重要である．最も効果的な刺激は，頭部運動と視覚情報の不一致が起こる動きである．例えば，頭部の動きを伴わず視覚刺激のみでもVOR gainは変化するが，頭部と眼球を同時に動かすと，より効果的である．

(2) 特定の刺激
前庭への刺激は，トレーニングを行った周波数により効果が現れる．例えば，1Hzの動きの頭部運動でトレーニングを行うと，1Hzで頭部を動かした時のVOR gainのみが向上する．なお，5Hz以上ではトレーニング効果が現れにくい．したがって，日常生活では幅広い周波数で頭部が動いているが(表4-3)[19,20]，できるだけ5Hz以下で，さまざまな動きの頻度（周波数）やスピードで頭部運動を行う必要がある[21,22]．

表4-3　歩行および走行時の頭部の動き

頭部の水平移動	速度 (°/sec)	頻度 (Hz)
歩行	20〜78	0.7〜1.2
走行	390	1.9

頭部の上下移動	速度 (°/sec)	頻度 (Hz)
歩行	20〜39	0.9〜5.1
走行	163	5.8

(Grossman GE, et al: Frequency and velocity of rotational head perturbations during locomotion. Exp Brain Res 70: 470–476, 1988. Grossman GE, et al: Performance of the human vestibuloocular reflex during locomotion. J Neurophysiol 62: 264–272, 1989.)

(3) 努力的な運動による影響

Gaze stability exerciseは，頭部の運動を行っている間に視覚刺激を与えることでさらにVOR gainが向上するが，暗闇においても目の前に固視する点をイメージし，頭部を動かすことで，VOR gainが向上することが知られている．これは，努力により前庭系の働きを変化させうることを意味している．さらによい刺激を与えるためには，患者が自動的に頭部を動かしたうえで，gaze stability exerciseに集中させ，余分な注意を払わないようにすることが重要である．

(4) 限界の能力で行う

患者が頭部を動かしている間，文字が見える最高のスピード，最高の頻度で頭部を動かす必要がある[14]．トレーニングを行っている間，患者はめまい感を訴えるが，患者の眼球運動や頭部運動，さらには患者の表情などを観察し，患者がなるべく限界のスピードおよび頻度で行えるように声かけをして，トレーニングに集中して行えるようにすることが大切である．

(5) トレーニングの時間および頻度[12]

Gaze stability exerciseに関する1980年代の研究では，トレーニング効果を上げるためには，数時間かそれ以上が必要であると報告されている．しかし，このトレーニング時間は，患者にとっては非常に長く苦痛を強いられるため，適切な長さとはいえない．一方，1～2分程度の短いトレーニング時間でも，トレーニング効果が認められることが報告されており，1日に上下・左右方向各1～2分間の3セットのトレーニングを行うことが推奨されている．そして，可能であればトレーニング時間を徐々に増加させていく．

トレーニング中は，中枢神経系が網膜上での像のズレを修正するために働くため，患者はめまい症状が強くなることを感じるが，トレーニング中(1～2分間)は運動を中断しないように継続させる．

2) 実際の方法

文字が書かれたカード(名刺など)を用意し，カードに書かれた文字を固視しながら，眼球，頭部，手を上下・左右に動かす．頭部を動かしている最中は，手と頭部をただ動かすだけではなく，カードの文字を読みながら行うことが重要である．

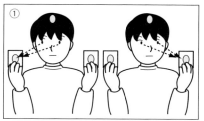

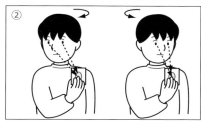
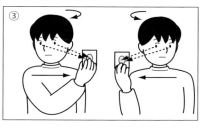

a．左右
① 両手に名刺など文字が書かれたカードを持ち，頭部を固定したまま眼球のみで左右のカードに書かれた文字を見る（saccade：衝動性眼球運動）．
② 片手に名刺など文字が書かれたカードを持ち，手を固定したまま頭部を左右に動かし，カードに書かれた文字を見る（×1）．
③ 片手に名刺など文字が書かれたカードを持ち，手と頭部を左右に逆方向に動かし，カードに書かれた文字を見る（×2）．

図4-1 Gaze stability exercise [12,14,23]

　最初は眼球および頭部のみの運動から始め，最終的に頭部と手を逆方向に動かして文字を固視する（図4-1a，b）[12,14,23]．トレーニング時間は，最初は1〜2分間でも続けられない場合が多い．そのため，患者には十分な休憩をとりながら，できるかぎり長い時間続けて行ってもらう．また，頭部やカードの動きは遅いスピードから始め，少しずつ頭部運動の速度および頻度を上げていく．Gaze stability exerciseの基本的な実施例を表4-4に示す．
　Gaze stability exerciseを行っている間は，患者の頭部や眼球の動きを注意深く観察し，空間上に眼球をとどまらせるように，頭部の動きや眼球の動きを口答指示にてフィードバックする．慣れてきたら，柔らかいパッドなどの不安定な状況や足踏み中など，動的な状態で頭部運動を行う．
　ホームエクササイズ指導では，トレーニングの継続率を上げるため，日常生活の動作のなかにgaze stability exerciseを組み込み，なるべく継続してもら

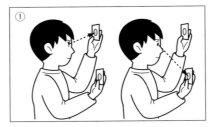

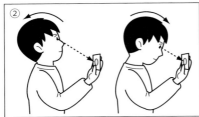
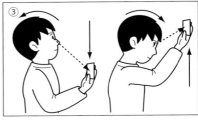

b. 上下
① 両手に名刺など文字が書かれたカードを持ち，頭部を固定したまま眼球のみで上下のカードに書かれた文字を見る (saccade).
② 片手に名刺など文字が書かれたカードを持ち，手を固定したまま頭部を上下に動かし，カードに書かれた文字を見る (×1).
③ 片手に名刺など文字が書かれたカードを持ち，手と頭部を上下に逆方向に動かし，カードに書かれた文字を見る (×2).

図4-1　つづき

うように工夫する必要がある．例えば，新聞などを読む際に文字を読みながら頭部を動かしたり (図4-2)，トイレの壁にカレンダーを張りつけ，便座に座った際には必ず頭部を動かしながら文字を読むなど，日常生活で必ず行う動作の中にトレーニングを組み込む．

2. Habituation exercise

1980年代にNorreら[24-26]が，めまいの起こる動作を繰り返し行うことにより，めまいが減少することを提唱した．例えば，頭部を動かした際，現在実際に感じている感覚（頭部が動く感覚と視覚情報）が，過去に経験してきた感覚と比較した際に一致していれば，めまいは感じない．しかし前庭障害などにより，頭部が動いた感覚に異常が生じると，頭部と視覚の間にズレが生じ，過去の正

表4-4　Gaze stability exerciseの基本的なトレーニングの実施例

1. 急性期，亜急性期（または前庭代償が起こっていない慢性期）
    ①名刺など文字が書かれているものを手に持つか壁に貼りつけ，固視する．頭部を左右方向に回旋しながら，その文字を読むことを1分間続ける．
    ②上下方向に頭部を動かしながら，その文字を読むことを1分間続ける．最低1日3回繰り返す．慣れてきたら徐々に1日5回まで増やしていく．このエクササイズはめまいや吐き気などの症状を引き起こすが，1〜2分間連続して続けることが勧められている．

2. 慢性期
    ①チェックボードなどの大きい視覚刺激を使用して，頭部の水平方向の運動を行う．
    ②チェックボードなど大きい視覚刺激を使用して，頭部の上下方向の運動を行う．
    ③名刺などを手に持ち，名刺と頭部を逆方向（水平方向および上下方向）に動かして，名刺の文字を見る．エクササイズの時間は1〜2分間行い，最低1日3回繰り返す．慣れてきたら徐々に1日5回まで増やしていく．
    ④固視するものを壁に張りつけ，バランスボールなどを使用して上下方向にジャンプしながら（耳石の刺激）文字を読む．

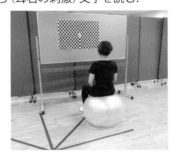

[Herdman SJ, et al: Intervention for the patient with vestibular hypofunction. Herdman SJ (ed): Vestibular rehabilitation 3rd ed. F.A. Davis, pp309-337, 2007.]

図4-2 新聞を利用したgaze stability exercise：新聞の文字を読みながら，頭部を左右に動かす．

常であった感覚と比較して不一致が起こるため，めまいが生じる．

　Habituation exerciseでは，現在の異常感覚を繰り返し行い，現在感じている異常感覚を過去の感覚に置き換え，現在の異常感覚と過去の異常感覚を一致させて，めまいを減少させる（**図4-3**）．実際にhabituation exerciseを行う際には，Motion Sensitivity Quotient（MSQ）[27-30]（**表3-9**）などによりめまいの起こる動作を決定し，その動作を集中的に繰り返し行わせる．

　前庭障害患者は通常，これらのめまいを起こす動作を学習しており，日常で頭部をあまり動かさないように生活をしている．しかし，これらのめまいを起こす動作の逃避は不動の原因となり，前庭機能の回復に悪影響を及ぼす可能性がある．そのため，前庭リハビリテーションを効果的に進めるために，これらのめまいを起こす動作を積極的に行う必要がある[24]．Habituation exerciseを十分に行うことにより，異常な空間的な頭部運動の認知は正常化し[24]，4〜6週でめまい感が減少することが多い．また，habituation exerciseはMSQが向上し，動作時のめまい感が減少するだけではなく，動体視力も向上することが報告されている[31]．

　Habituation exerciseは，自己運動により生じるめまいの症状を治療するために用い，頭の速い動きが伴う動作，例えばしゃがみ込む，見上げるなど，頭部の位置を変えたときにめまいが増す症例に有効である．また，ショッピングモールやスーパーマーケットなどで陳列棚から刺激を受けるとき，アクション映画やテレビを見ているとき，パターン化されたカーペットや光沢のある床を歩いているときなど，視覚的な刺激でめまい症状が憎悪する症例にも有効であ

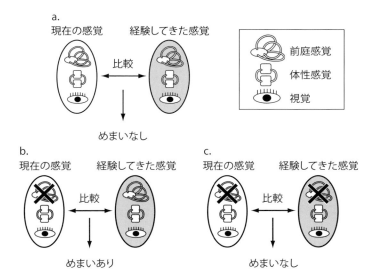

図4-3 Habituationのメカニズム
a. 前庭障害が起こる前(正常)，b. 前庭障害が起こった後(前庭代償が進む前)，c. 前庭障害が起こった後(前庭代償が進んだ後)

る．Habituation exerciseの目的は，患者のめまいを引き起こす特定の動きや視覚刺激に，患者を繰り返し曝すことによって，めまいを軽減することである．Habituation exerciseは，患者に軽度なめまいの症状を誘発するものの，繰り返し行うことで脳が異常信号を学習することにより，めまい症状は軽減する．

1) Habituation exerciseの進め方[14]
① 患者の苦手な4種類の動作を選択し，1日に2〜3回これらの動作を行う．
② 中等度の症状が出る速さで，これらの動きを行う．
③ Habituation exerciseを行っている際は，症状がより強くなるように強度を変化させる．
④ 1つの動きを行った後は，症状が消失するまで休憩をとる．通常，症状はそれぞれの動作後では1分以内，すべての運動後では15〜30分以内に消失する．
⑤ これらの動きは，症状が減少し始める4週程度は続け，徐々に1日に1回程度まで，動きの回数を減らしていく．

⑥この治療法はすべての患者に応用できるものではなく，すばやく立ち上がる動作ができない高齢者や起立性低血圧の患者に対しては，注意が必要である．
⑦治療効果が低く，余暇活動や仕事などにおいて症状が残存している場合は，症状が出る活動や仕事を避けるようにアドバイスする．

2) 実際の方法
(1) 座位や立位での簡単な頭部運動

患者は，簡単な運動よりも複雑な運動の際にめまいを訴える場合が多い．そのため，安定した姿勢で簡単な頭部運動から始め，座位から立位，安定している支持面から不安定な支持面，部分的な運動から全身的な運動へと，難易度を少しずつ上げて運動を行う（表4-5，図4-4）．

(2) 立位での運動（図4-5）．

開眼から始め，安定してきたら閉眼で行う．また，床面から始め，安定してきたらマット上で行う．

(3) 歩行しながら姿勢の変化（図4-6）．

歩行しながら，下の物を見て拾う動作を行う．歩行中に頭部は持続的に動い

表4-5　安定した座位での運動（各運動を5回繰り返す）

①座位から背臥位になる．
②背臥位から左側臥位になる．
③左側臥位から右側臥位に寝返る．
④背臥位から座位になる．
⑤座位から，鼻を左膝に着ける．
⑥座位から，鼻を右膝に着ける．
⑦座位で，頭を左回旋する．
⑧座位で，頭を右回旋する．
⑨座位から前屈する．
⑩座位で頭を上下に動かす．
⑪端坐位から頭を右に向けて横になる．
⑫端坐位から頭を右に向け，すばやく横になる．
⑬端坐位から，頭を左に向け，すばやく横になる．
⑭端坐位からすばやく横になり，頭がベッドから懸垂位になる．

a. 安定した肢位での頭部の前後運動　　　b. 安定した肢位での頭部の左右運動

c. 安定した肢位での頭部の回旋運動

d. 立位での頭部運動

e. やわらかい床面上での頭部運動

図4-4　さまざまな条件下での頭部運動
安定した姿勢（座位）で簡単な頭部運動から始め，立位や不安定な支持面など，難易度を少しずつ上げて頭部運動を行う．

図4-5 立位での回旋運動
その場で60°回旋する．開眼で始め，安定してきたら閉眼で行う．

図4-6 歩行しながら姿勢の変化
歩行中に下の物を見て拾い上げるトレーニング．頭部運動中は姿勢が不安定にならないよう，ゆっくりとした運動から始め，徐々にスピードを上げていく．

ているが，姿勢を大きく変化させることで，さらに頭部に動きを与えることで，姿勢を保持させる．遅い頭部運動から始め，徐々にスピードを上げていく．

(4) 座位から方向転換を加えた歩行（図4-7）

日常生活のなかでの動きをメニューに組み込み，積極的にその動作を繰り返し行う．患者は座位から立ち上がり，回転をして歩行する．この動作では，立ち上がる，歩行する，回転するなど，さまざまな頭部運動が含まれる．

a. 椅子から立ち上がり回旋する．

b. 歩行し回旋する．

c. 元の位置に戻る．

図4-7 方向転換を加えた歩行
座位から立ち上がり，歩行し，再度座位に戻る．遅いスピードから始め徐々にスピードを上げて行う．

(5) 臥位から立ち上がり，目標に向かって歩く（図4-8）．

患者は臥位から起き上がって座位になり，立ち上がってすぐに目標物に向かって歩行する．この時，なるべく早く目標物を見つけ，固視しながら歩行させる．

(6) 8の字歩行（図4-9）

姿勢を安定させたまま，8の字を描くように，なるべく早く歩行する．回転時にはバランスを崩す場合が多いため，転倒に注意する．

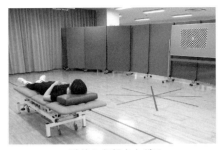 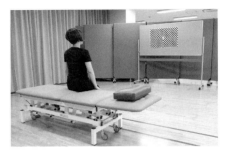

a. 臥位から起き上がる．　　　　　　b. 臥位から座位になる．

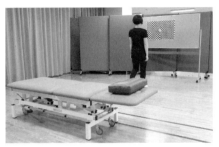

c. 座位から立ち上がり，目標に向かって歩く（固視しながら）．

図4-8　目標に向かう歩行
臥位から立ち上がり，目標に向かって歩く．

図4-9　8の字歩行

3. Substitution exercise

　Substitution exerciseは，前庭障害後に起こるめまいや姿勢不安定性を視覚や体性感覚など，前庭感覚以外の感覚により，補うことである[32]．以下に，substitution exercise[33]のメカニズムについて述べる．

1) 眼球運動

　前庭障害では，頭部運動時に眼球が適切に動かずVOR gainが低下する．しかし，頭部運動時に衝動性眼球運動 (saccade)で眼球をターゲットにすばやく移動させ固視を行うことにより，VOR gainを補うことが可能である．Tianら[24]は，前庭障害の患者は急激な頭部運動の際に，より早い潜時で衝動性眼球運動が起こるが，健常人にはこの潜時の短い衝動性眼球運動は起こらないと報告している．

　また衝動性眼球運動以外に，追視でもVOR gainを補うことが可能である．代償効果が得られている前庭障害患者は，健常人に比べて追視機能が9％程度高いと報告されており[35]，追視機能を向上させることにより，頭部運動時の眼球運動も向上する．方法は，眼球を先に動かしてターゲットとなる点を固視する．次に，ターゲットを固視したまま頭部を動かす．最初は座位から始め，慣れてきたら立位や歩行でも行う (図4-10)．

図4-10　眼球・頭部の運動
眼球を先に動かしてターゲットとなる点を固視する．その次にターゲットを固視したまま頭部を動かす．座位など安定した姿勢から頭部運動を始め，歩行しながら頭部運動行うなど，徐々に難易度を上げていく．

そのほかに、一点を固視させた後に閉眼させ、そのターゲットをイメージする．次に閉眼にてターゲットをイメージしたまま頭部を動かし、その後に開眼して、そのターゲットからどの程度ずれているかを確認する方法がある．

2) 中枢性の予測機能

動きを予測している場合は、頭部の運動が起こる前に眼球運動が起こる．この眼球運動は前庭の働きではなく、中枢性の予測機能（feed-forward）の働きである．また、動体視力やVOR gainは、予測していない時より予測している時のほうがよい．要求されている運動が予測されている時には、中枢性の予測機能は固視する際に効率的に働くが、不意に振り返るなどの予測されていない動きでは、めまいなどの症状が残存する場合が多い．

3) 頸眼反射

周波数の低い頭部の動き（0.5Hz以下）では、頸部の固有感覚の刺激により頸眼反射が働き、頭部の動きとは逆の眼球運動が起こる．頸眼反射は、健常人ではほとんど眼球運動には寄与しないが、前庭障害患者は頸眼反射を使用して、頭部運動時における眼球運動を補助している．ただし、すばやい頭部の動きでは頸眼反射が働きにくいが、遅い動き（0.5Hz以下）ではよく働く．頸部の固有感覚を刺激し、頸眼反射を促進する際は、頭部の動きを視覚によりフィードバックさせることで、頭部と眼球の協調性を高めていく必要がある（図4-11）．

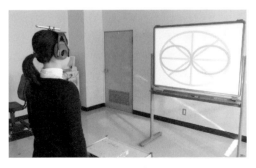

図4-11　視覚的フィードバックを取り入れたトレーニング
レーザーポインターを使用した頭部と眼球運動の協調性を高めるトレーニング

4) 姿勢安定性を改善させるトレーニング[14]

　前庭障害における姿勢不安定性の回復の主なメカニズムは，視覚と体性感覚への依存度の変化と前庭機能の向上である．姿勢制御の代償では，安定した視覚の確保と効率的な足底などからの情報の使用，残存している前庭感覚の使用，効率的な姿勢制御の方法（姿勢戦略）の再獲得が目的となる．したがって，セラピストは，どの程度前庭機能が残存しているか，どの感覚（体性感覚や視覚）に依存しているか，前庭感覚以外のそのほかの感覚に異常がないかなどを確認する必要がある．

　前庭障害に対する姿勢の安定性を改善させるトレーニングは，頭部の動きにより前庭を刺激し，さらに視覚や体性感覚を同時に利用することで，頭部運動時などの前庭が刺激された際に，姿勢の安定を図ることを目的としている[14]．さらに，閉眼や柔らかいパッドなどを使用して視覚や体性感覚などの感覚入力を変化させ，使用可能な感覚が優位に働くように促すとよい．

　実際のトレーニングでは，柔らかい床面や閉眼にて，立位保持を行わせる．また，患者に身体の動揺や立ち直りの程度を，口頭などでフィードバックして，身体が揺れていることを認識させ，その揺れに対して立ち直るように指示する（図4-12）．また，歩行をしながら眼球を動かしたり，ボールを左右の手で投げながら歩行を行い（図4-13），マット上などの不安定な床での歩行，視覚入力や頭部運動など，さまざまな動きや感覚を入力させながらトレーニングを行う．表4-6[14]に姿勢安定性を改善させるトレーニングの例を示す．

図4-12　柔らかい床面や閉眼にて立位保持

a．座位での運動　　　　b．歩行しながらの運動

図 4-13　ボールを使用したトレーニング
ボールを左右の手で投げる．座位から始め立位，歩行へと難易度を徐々に上げていく．

　失われた前庭機能をほかの機能で代償することは効果的であるが，substitution exerciseには限界があり，体性感覚や追視などの視覚機能では速い動きに対応ができないため，すばやい動きの時や予測していない動きの時などに，めまい感やふらつき感などの症状が残存することが多い．そのためsubstitution exerciseの限界を見極め，頭部の運動を意識的に少なくして，症状の出現を予防することも必要である．
　最近では，難治性の両側前庭障害患者に対してブレインマシンインターフェース[36]を使用し，舌刺激[37,38]，音刺激[39]，振動刺激[40,41]で身体の傾きをフィードバックさせて，動揺を減少させることが報告されている．しかし，わが国においてはあまり普及していないのが現状である[42]．

4．その他の方法

1）Cawthorne-Cooksey exercise[1,2]

　Cawthorne-Cooksey exerciseは，1940年代に一側の前庭障害に対するリハビリテーションとして考案された．このエクササイズには眼球や頭部運動，全身運動やバランストレーニングが含まれており，めまいや姿勢不安定性に対して行われる．実際のCawthorne-Cooksey exerciseの進め方，および留意点は以下のとおりである（**表 4-7**）．

表4-6 姿勢安定性を改善させるトレーニング（例）

a. 患者はできるかぎり両側の足部を近づけ，必要があれば上肢の軽い支持にて立位姿勢を保持する．次に，患者は1分間程度前方を固視しながら，頭部を回旋させる（adaptation exercise）．徐々に上肢の支持を軽くし，頸部を回旋させながら，立位保持の時間を延長する．

b. 歩行訓練．必要であれば介助を行う（急性期）．

c. 歩行中に頸部を回旋させる．頭部を回旋させながらの歩行は不安定性が増すため，壁の近くで歩行訓練を行うか，介助もしくは監視が必要である．

d. 患者は開眼にて肩幅で立位をとり，壁に張りつけた目印を固視する．患者は徐々に両足がつくまで幅を狭め，最終的にはタンデム立位まで狭める．最初は上肢を広げて行い，慣れてきたら体側につける．最後には上肢を胸の前で組むというように，上肢の位置をコントロールしながら難易度を上げていく．姿勢保持はそれぞれの上肢の位置で15秒間行い，合計で15分間程度行う．

e. 患者は開眼にて肩幅で立位をとり，壁に張りつけた目印を固視する．次に閉眼して，徐々に両足がつくまで幅を狭め，最終的にはタンデムまで狭める．最初は上肢を広げて行い，慣れてきたら体側につけ，最後には上肢を胸の前で組むというように，上肢をコントロールしながら難易度を上げていく．それぞれの上肢の位置で15秒間行い，合計で15分程度行う．

f. 患者の頭部，肩，腰にレーザーポインターを取りつけ，壁に印をつけて，その印にレーザーポインターを合わせるように重心移動を行う．これは視覚的なバイオフィードバックを使用したトレーニングである．足の位置や床の状態（バランスパッドなどの使用）を変化させて，難易度を上げながらトレーニングを行う．

g. 患者はクッションなどの柔らかい床面で立位をとる．徐々に床面の素材を変化させ，難易度を上げていく．

h. 歩いている最中に逆から数字を数えるなどして，歩行訓練を行う．徐々に床面の素材を変化させ，難易度を上げていく．

i. 支持基底面を狭くした状態で歩行訓練を行う．最初は壁を触りながら行い，徐々に支持する力を軽くしながら行う．最終的には，手を離して歩行訓練を行う．

j. 歩行中に回転する．最初は大きく円を描くように歩行し，徐々に円を小さくして歩行する．

k. スロープで立位訓練や歩行訓練を行う．床の状態を変化させ，難易度を上げていく．

l. 前方にある印を固視しつつ，バランスボール上やトランポリン上で跳ねながら，姿勢を保持する．この訓練は，固視しながら上下運動を行うため，耳石－視覚反射の機能を高める．

m. ショッピングセンターなどの屋外で歩行訓練を行う．人の流れに沿った方向，もしくは人の流れに逆らった方向で歩行訓練を行う．

(Herdman SJ, et al: Intervention for the patient with vestibular hypofunction. Herdman SJ (ed): Vestibular rehabilitation 3rd ed. F.A. Davis, pp309-337, 2007.)

表4-7　Cawthorne-Cooksey exercise の進め方

A　臥位
1. 眼球運動：遅い動きから速い動き
   a. 上下
   b. 左右
   c. 動く指を追視する.
2. 頭部運動：遅い動きから速い動き，開眼／閉眼
   a. 頭部前後屈
   b. 頭部の回旋

B　座位
1. 眼球運動：遅い動きから速い動き
   a. 上下
   b. 左右
   c. 動く指を追視する.
2. 頭部運動：遅い動きから速い動き，開眼から閉眼
   頭部前後屈
   頭部の回旋
3. 肩をすくめる，肩を回す
4. 体幹を前方に屈曲し床においてある物をつかみあげる

C　立位
1. A1，A2，B3と同様
2. 座位から立位：開眼／閉眼
3. 小さいボールを投げる（眼の高さで右手から左手，左手から右手に投げる）
4. 小さいボールを投げる（膝よりも低い高さで右手から左手，左手から右手に投げる）
5. 座位から立位で行い，その場で回転する

D　歩行時
1. 真ん中に立っている人の周りを回りながらボールを投げて受け取る.
2. 部屋の中を歩行する：開眼／閉眼
3. スロープを上がったり下がったりする：開眼／閉眼
4. 段差を上がったり下がったりする：開眼／閉眼
5. 身体を曲げたりストレッチなどを含んだ簡単なスポーツ活動

(Cawthorne T: The physiological basis for head exercise. J Chart Soc Physiother 30: 106, 1944; Cooksey FS: Rehabilitation in vestibular injuries. Proc R Soc Med 39: 273-278, 1946; Dix MR: The rationale and technique of head exercises in the treatment of vertigo. Acta Otorhinolaryngol Belg 33: 370-384, 1979.)

①さまざまな姿位やスピードでトレーニングを行う．
②患者は開眼・閉眼でトレーニングを行う．閉眼でトレーニングを行うことにより，視覚情報の依存度を減少させ，前庭感覚と体性感覚をより効率的に代償することが可能である．
③混雑した環境（ショッピングモールなど）でトレーニングを行う．なお，この環境は前庭障害患者においては難しい場合が多い．
④患者の自主的な参加を促すため，グループでトレーニングを行うことが推奨されている．

2) Moving force platform exercise

このプログラムでは従来のCawthorne-Cooksey exerciseと同様に，重心動揺やDHIなどが向上し，一般的な前庭リハビリテーションと同等の効果があると報告されている．方法は，0.2Hzおよび0.6Hzの周波数で前後・左右に動揺する床面上で，開眼・閉眼にて立位を保持させる（図4-14）．次に，運動や同時に視覚外乱を加える運動を行う．

a. 左右動揺

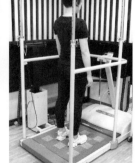
b. 前後動揺

図4-14　Moving force platform exercise

III 結果に影響する因子[14,43]

　一側の前庭障害における患者の回復は，比較的良好である．最終的に回復をするには，いくつかの要因が挙げられる．一側の前庭障害患者に対するリハビリテーションでは，ほとんどの患者が良好な回復をみせるが，一側の前庭障害患者の10〜30％は回復を自覚しない．また，両側の前庭障害患者は，一側の前庭障害の患者よりもリハビリテーションの効果が悪く，25〜66％の患者は回復が難しいと報告されている[14]．

　前庭リハビリテーションを進めるうえで，最終的にどの程度回復するかを患者に伝えることは，ゴールを設定するうえで重要である[14]．前庭障害の程度が軽い場合，前庭障害が安定している場合（増悪や緩解を繰り返さない前庭障害），頭部運動の際にのみ症状が現れる場合など，前庭代償がある程度進んでいる患者は，良好な回復をみせる[29,30]．自覚症状が長引き治療が遅延する要因として，めまいの診断と適切な治療が遅れ，慢性的な不安症状を招くことが挙げられる．また，急性前庭病変後の代償に時間がかかる危険因子として，高齢，薬物治療，微小血管脳病変，既存の感覚欠損などをスクリーニングする必要がある．

　以下に，前庭リハビリテーションの結果に影響するいくつかの因子を述べる．

1. 年齢

　前庭障害に対するリハビリテーションの効果は数多く報告されているが，年齢は前庭障害の回復に影響しないと報告されている[44,45]．

2. 発症してからの時間経過

　急性期の一側前庭障害患者に対するリハビリテーション開始の遅れは，回復を遅らせることが報告されている．早期に前庭リハビリテーションを行うことにより，姿勢不安定性が回復する[46]（図4-15）．また，慢性期のめまいに対する前庭リハビリテーションには適切な時期が存在せず，どの時期においても，前庭リハビリテーションによって前庭機能の回復が期待できる[43]．

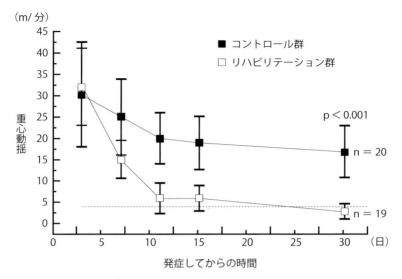

図4-15　早期リハビリテーションの効果
前庭神経炎患者に対し早期にリハビリテーションを行うことにより，コントロール群と比較して早く重心動揺が減少する．
(Strupp M, et al: Vestibular exercises improve central vestibulospinal compensation after vestibular neuritis. Neurology 51: 838-844, 1998.)

3. 心理的・精神的要因

Yardleyら[47]は，めまい患者における不安な気分は社会的障害を助長させる一要因であり，身体的不安の強さは，めまいに関する障害などを増加させることを報告している[48]．また，前庭障害とうつ状態に直接的な関連性はないが，回復に影響を及ぼす可能性が示唆されている．前庭障害患者はうつ状態にあることもあり，前庭リハビリテーションを拒否することで活動量が低下し，前庭機能の回復が遅れる可能性がある．

4. 障害部位

小脳は主に，前庭機能の障害を代償することに働く．例えば，小脳に障害をもったラットでは前庭障害後の代償が起こりにくく[49]，ヒトにおいても同様に，

小脳や頭部外傷後などの前庭に関連した中枢神経障害では，回復が遅れることが知られている[50]．しかし，小脳梗塞などの中枢神経障害の患者では改善が認められており[51-54]，小脳などの中枢神経障害の場合においても，回復は遅いものの前庭機能の回復は起こる[55]．

5. 視覚と体性感覚の入力

　視覚入力の減少は，初期の前庭障害の回復を遅らせる．また，めまいを起こさせる動きの回避も回復を遅らせる[29]．したがって，めまいが起こることを回避せずに身体運動を行い，積極的な外出を心がけ，視覚情報の入力を増やすことが重要である．

6. 前庭リハビリテーションの継続期間

　2022年米国理学療法士協会のガイドラインでは，週1回の通院とともに，GSEのホームエクササイズを指導することが示されている．急性および亜急性の片側性前庭機能不全を対しては，1日3回，少なくとも毎日合計12分間行う．慢性的な片側性前庭機能不全患者には，habituation exercise，substitution exerciseを1日3〜5回，毎日少なくとも20分間，4〜6週間行う．また，両側前庭機能低下患者では，1日3〜5回，30〜40分程度を6〜9週間行う[20]．

　私たちの研究では，めまい感や姿勢の不安定性などの減少が認められるには，1〜3カ月程度が必要であり，集中的に前庭リハビリテーションを継続する必要がある（図4-16）[3,4]．また，前庭リハビリテーションにより前庭障害の改善が認められても，疲労，ストレス，長期間の不動，ほかの病気や内服薬の変化などにより，再び元の前庭機能の状態に戻りやすいことが報告されている[29]．そのため，前庭リハビリテーションにより回復した患者は，回復した状態を維持させるために継続してエクササイズ（ホームエクササイズ）を行う必要がある．

　一方，J-DHIの結果では，介入前では41.0（33.0〜68.0）点，3カ月後では31.0（11.0〜38.0）点であり，介入前と比較して3カ月後に有意な減少が認められた（p＜0.05）．しかし，外出にかかわる項目やすばやい頭部運動においては症状が残存していた．さらに私たちは，万歩計を用いた生活指導が前庭機能低下に効果があることを確認している[9]．

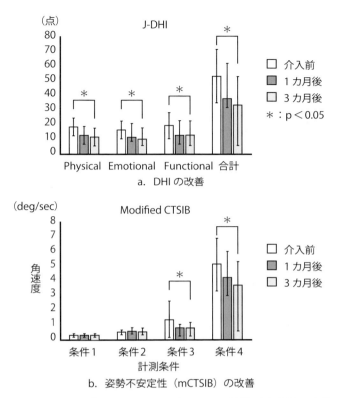

図4-16 リハビリテーションによるDHI・姿勢不安定性の改善
(若林諒三,他:難治性めまい患者に対する個別リハビリテーションの効果.Equilibrium Res 73: 521-527, 2014.)

7. 個別リハビリテーション[12]

　前庭障害に対する前庭リハビリテーションは,基本的には確立された理論 [GSE(adaptation), habituation, substitution] に基づいて行うが,Blackら[56]やGirayら[57]は,患者個人のニーズや進行状況に応じて前庭リハビリテーションプログラムを立案し段階的に課題の複雑度を増加させていくことが重要であること,セラピストによる監視下での前庭リハビリテーションは患者のモチベーションの維持や運動のコンプライアンスを高めるために効果的であるこ

とを報告している．したがって，よりよい効果を上げるためには，患者の主訴やめまいの起こる動作を注意深く観察して，患者個人の能力や生活様式に合わせた前庭リハビリテーションプログラムを立案することが重要である．

 症例紹介

1. 症例A

60歳の男性で，6年前に左前庭神経腫瘍の摘出術を行った．術後から2週間は歩行器による歩行，その後つたい歩きなどを行い，半年程度で日常での独歩が可能となった．抗めまい剤などの薬物治療を継続的に行っていたが，めまい感，ふらつき感などの症状が改善しないため，術後6年で前庭リハビリテーションを行うこととなった．現在，めまい感やふらつき感が強く残存しており，日常生活上で苦痛を訴えている．職業は，スーパーマーケットにて食品などの在庫の配送および管理を行っている．

1) 評価
(1) 主訴

暗いところが歩きにくい，頭部を早く動かすとめまい感が強くなる，歩くと頭がふらつく，人混みのなかが歩きにくい，暗闇での運転で遠近感がつかみにくい，運転中の左右確認がつらい，などを訴えていた．

(2) Visual Analogue Scale

めまい感とふらつき感をVisual Analogue Scale（VAS）にて評価した．前庭リハビリテーション施行前のめまい感は49mm，ふらつき感は31mmであった．

(3) 姿勢の不安定性を評価

閉眼片脚立位や姿勢安定性の検査を実施した．前庭リハビリテーション施行前の閉眼片足立位は，左右平均で2.5秒であった．姿勢安定性の検査では，BALANCEMASTER®（Neurocom社製）を使用した．姿勢安定性の検査では，条件

1は0.2deg/sec，条件2は0.4deg/sec，条件3は0.5deg/sec，条件4は5.3deg/secで，3回中2回転倒した．

(4) Dizziness Handicap Inventory
前庭リハビリテーション施行前は，physicalが20点，emotionalが12点，functionalが12点で，総合点が44点であった．

2) 前庭リハビリテーション
前庭リハビリテーションの時間は1回50分，頻度は週に2～3回，また病院での前庭リハビリテーション以外にホームエクササイズを毎日行った．前庭リハビリテーションはGSE(adaptation)，habituation，substitutionを行った．

(1) Gaze stability exercise
Gaze stability exerciseの方法は図4-1を用いて1～2分連続して行い，1日に5セット行った．Gaze stability exerciseを行っている間，患者の眼球の動きを注意深く観察し，空間上に眼球をとどまらせるように，眼球や頭部の動きを口答によりフィードバックした．慣れてきたところで，柔らかいパッド上などの不安定な状態で行った．

(2) Habituation exercise
問診やMSQから，座位での頸部回旋，立位での360°回旋(図4-5)，車の運転時の左右確認などが困難であったため，座位での頸部回旋をさまざまなスピードで行わせた．また，下を見ながら8の字歩行(図4-9)，および運転時における左右確認を想定して，座位で頸部を左右に振る動作を繰り返し行った．

(3) Substitution exercise
頸椎の固有受容器は，頭部運動時に前庭機能を補うことができる．そこで頸椎の固有受容器の働きを促通するため，頭部の動きを視覚によりフィードバックさせることで，頭部と眼球の協調性を高めていくことを目的として，頭部にレーザーポインターを取りつけ，前面の壁に張りつけてある線をなぞらせた(図4-11)．また，視覚機能(saccade，追視)や予測機能(central preprogramming)などを使用し，頭部よりも先に眼球を動かすことを学習させた(図4-10a)．

姿勢制御に関しては，閉眼や柔らかいパッドなどを使用して入力感覚を変化

させ，それにより姿勢制御における感覚の使用の割合を変化させ，体性感覚や視覚が優位に働くように促した．実際には，患者に身体が揺れていることに注意を向けさせ，その揺れに対して立ち直るように指示し，身体の動揺や立ち直りの程度を，口頭などでフィードバックした（図4-12）．さらに柔らかいパッド上で，閉眼にて頭部運動を行いながら，立位保持を行わせた（図4-4e）．

3）経過

前庭リハビリテーション開始から12週後では，DHIはphysicalが8点，emotionalが6点，functionalが8点で総合点が22点となり，改善がみられた．VASはめまい感26mm，ふらつき感11mmとなり，めまい感，ふらつき感ともに改善がみられた．閉眼片脚立位時間は9秒前後となり時間が延長した（表4-8）．重心動揺は，すべての条件において減少がみられた．特に条件4においては，前庭リハビリテーション施行前では3回中2回は転倒により計測不能であったが，施行後では3回すべて計測することが可能であった．

DHI，VAS，姿勢安定性の評価では改善が認められ，主訴に関しても，歩くと頭がふらつく，人混みのなかでは歩きにくい，の訴えはなくなっていたが，暗いところが歩きにくい，頭部を早く動かすとめまい感が強くなる，暗闇での

表4-8　症例Aの前庭リハビリテーション前後の評価結果

	前	後
VAS（めまい感）（mm）	49	26
VAS（ふらつき感）（mm）	31	11
片脚立位（秒）	2.5	9
DHI（physical）（点）	20	8
DHI（emotional）（点）	12	6
DHI（functional）（点）	12	8
DHI（total）（点）	44	22
姿勢安定性（deg/sec）	前	後
条件1	0.2	0.3
条件2	0.4	0.3
条件3	0.5	0.7
条件4	5.3	3.2

車の運転で遠近感がつかみにくい，運転中の左右確認がつらい，などには変化がなかったため，その後も引き続き前庭リハビリテーションを行っている．

2. 症例B

63歳の女性．8年前に右前庭神経炎と診断され，それ以降内服治療を継続していたが，めまいとふらつき感の改善が認められなかった．最近，それらの症状が強くなり，1人で外出できなくなったため，前庭リハビリテーションを行うこととなった．専業主婦であり，家事全般を自分1人で行っている．カロリックテストでは右耳反応なし．

1) 評価
(1) 主訴
頭を動かすとめまいがする，歩くとふらつく．

(2) Head Impulse Test (HIT)
右陽性．

(3) Visual Analogue Scale (VAS)
めまい感とふらつき感をVASにて評価した．前庭リハビリテーション施行前のめまい感は55mm，ふらつき感は72mmであった．

(4) 姿勢不安定性の評価
閉眼片脚立位や姿勢安定性の検査には，BALANCEMASTER®（Neurocom社製），を使用した．前庭リハビリテーション施行前の閉眼片足立位は左右平均で1秒であった．姿勢安定性の検査では，条件1は0.2deg/sec，条件2は0.8deg/sec，条件3は0.8deg/sec，条件4は6deg/sec（3回中3回転倒）であった（**表4-9**）．

(5) Dizziness Handicap Inventory（表4-9）．
前庭リハビリテーション施行前はphysicalが20点，emotionalが24点，functionalが22点で，総合点が64点であった．

表4-9 症例Bの前庭リハビリテーション前後の評価結果

	前	後
DHI(total)(点)	64	44
DHI(physical)(点)	20	10
DHI(emotional)(点)	24	12
DHI(functional)(点)	22	12
片脚立位(秒)	1	4.5
VASめまい感(mm)	55	21
VASふらつき感(mm)	72	65
姿勢安定性(deg/sec)	前	後
条件1	0.2	0.1
条件2	0.8	0.7
条件3	0.8	1
条件4	6	2.2

2) 前庭リハビリテーション

前庭リハビリテーションは週に1回, 6カ月間行い, その後, 再評価を行った.

(1) Gaze stability exercise

Gaze stability exerciseは名刺を使用し, 左右, 上下の頭部運動を行った. ホームエクササイズとして朝夕の新聞を読む際, またはトイレ内にカレンダーを設置し, 用を足す際にgaze stability exerciseを毎回行ってもらった.

(2) Habituation exercise

問診やMSQから, 座位での頸部回旋, 右後側への振り返りが困難であったため, 座位や立位にて, 頭部の前額面上, 水平面上, 矢状面上の運動を, さまざまなスピードで行わせた. また, 歩行の際にめまい感が増強していたため, 歩行速度を変化させた歩行訓練を, 介助しながら行った. さらに8の字歩行のような, 連続的に方向が変わる歩行訓練もあわせて行った.

(3) Substitution exercise

Substitution exerciseは，閉眼ややわらかいパッドなどを使用して立位訓練を行い，さらにやわらかいパッド上での頸部回旋など徐々に難易度を上げて行った．

3) 経過

前庭リハビリテーション開始から6カ月後では，DHIはphysicalが10点，emotionalが12点，functionalが12点で総合点が44点となり，改善がみられた．VASはめまい感21mm，ふらつき感65mmとなり，めまい感，ふらつき感ともに改善がみられた．

重心動揺は，すべての条件において減少がみられた．特に条件4においては，前庭リハビリテーション施行前では3回すべて転倒により計測不能であったが，施行後では3回すべて計測することが可能であった．閉眼片脚立位時間は4.5秒前後となり，時間が延長した(表4-9)．

DHI，VAS，重心動揺は改善が認められた．頭部運動時や歩行時に，若干のめまい感やふらつき感が残存していたが，1人で外出も可能となったため，前庭リハビリテーションを終了した．

3. 症例C

50歳代女性．6年前に右後半規管型BPPVを発症し，Epley法にて治癒．2年前より右前庭神経炎を発症し，薬物治療を継続したが症状は改善せず，前庭リハビリテーションの適応となった．頭位変換時の回転性めまいが30秒程度，および歩行時に振り返った際のフラッとした感覚を訴えており，右CPによる症状に加え，心因的な要素が残存している．

1) 評価
(1) 前庭機能検査

眼振検査では，注視眼振は陰性，頭位眼振にて左向き水平回旋性眼振，頭位変換眼振にて左向き水平回旋性眼振を認めた．vHIT検査では，右外側半規管のgain低下，カロリックテストでは右CP55%の結果となった．これらの検査結果から，右前庭神経炎後の代償不全と診断された．

(2) 心理的評価（表4-10）

i) Dizziness Handicap Inventory

前庭リハビリテーション介入前は，Physicalが14点，Emotionalが14点，Functionalが10点，合計38点であった．最終評価にて，合計2点へと改善を認めた．項目として，Physicalの「上を向くとめまいは悪化しますか？」が残存した．

ii) Hospital Anxiety and Depression Scale

前庭リハビリテーション介入前は，抑うつが1点，不安が3点，合計4点であった．中間評価，最終評価にて，合計0点へ改善した．

(3) ラバー負荷重心動揺検査（表4-11）

ラバー負荷重心動揺検査は，アニマ社製グラビコーダGW5000®を使用して計測した．前庭リハビリテーション介入前の総軌跡長は開眼143.35cm，閉眼190.21cmと大きな動揺を示したが，最終評価において開眼100.75cm，閉眼141.23cmへと改善した．

(4) 歩行評価（表4-12）

歩行評価はTUG，Walking Speed，DGI，FGAを評価した．前庭リハビリテーション介入後では，すべての歩行評価において歩行速度の改善を認めた．また，DGI，FGAでは合計点の改善を認めた．最終評価時のFGAでは，閉眼歩行が減点項目であった．大きく歩行が偏位したことによる減点であるが，閉

表4-10　DHI, HADSの評価結果

		初期評価	中間評価（3カ月）	最終評価（1年）
DHI	Physical（点）	14	2	2
	Emotional（点）	14	0	0
	Functional（点）	10	0	0
	合計（点）	38	2	2
HADS	抑うつ（点）	1	0	0
	不安（点）	3	0	0
	合計（点）	4	0	0

表4-11　ラバー負荷重心動揺検査

総軌跡長	初期評価	中間評価（3カ月）	最終評価（1年）
開眼（cm）	143.35	89.69	100.75
閉眼（cm）	190.21	150.44	141.23

表4-12　歩行評価

		初期評価	中間評価（3カ月）	最終評価（1年）
TUG [快適速度]	右回り（秒）	10.21	6.88	6.83
	左回り（秒）	9.36	6.75	6.76
TUG [最大速度]	右回り（秒）	7.02	5.8	5.42
	左回り（秒）	7.44	5.38	5.52
Walking Speed	平均（秒）	6.83	5.54	5.62
DGI	合計（点）	22	24	24
FGA	合計（点）	28	30	27

眼歩行速度は改善している．

(5) Motion Sensitivity Quotient

前庭リハビリテーション介入前のMSQスコアは31.4点であった．中間評価では0.44点，最終評価では0.04点へ改善した．

2) 前庭リハビリテーション

理学療法士による前庭リハビリテーションを週1回の頻度で4週間継続して実施した．その後3カ月間はホームエクササイズを1日2回毎日継続し，日記での管理を指導した．

(1) Gaze stability exercise

文字が記入されたカードを使用し，文字を目視しながら左右，上下の頭部運動を行った．最初は座位で実施し，続いて立位や不安定な床面での実施を指導した．また日常生活で，買い物や家事動作中に意識的に視線を移すよう指導した．

(2) Habituation exercise

座位にて左右，前後，回旋の頭部および体幹運動を行った．同様に，徐々に難易度をあげるため，立位や不安定な床面での実施を指導した．

(3) Substitution exercise

開眼足踏み，閉眼立位，開眼片脚立位，タンデム肢位の保持を行った．同様に，不安定な床面での実施を指導した．

(4) 日記

パンフレットに，日記の記載欄を設けた．リハビリテーションの実施回数，実施時間を記録するとともに，当日の体調，リハビリテーションによる気分不快感，睡眠時間などを自由記載欄に記載するよう説明した．また，来院した際に，理学療法士が日記の内容に対してコメントを記入し，返却した．

3）経過

本症例は，前庭リハビリテーション介入開始の2年前に右前庭神経炎を発症し，一側性前庭障害により長期めまい症状を呈していた．右CPによる症状の残存やめまいによる不安感があったが，前庭リハビリテーション介入に際して，理学療法士が前庭リハビリテーションの目的を説明し，理解を得ながら介入したことで，不安感が減少し，リハビリテーションに積極的に取り組めるようになった．

さらに，日記を記載することがリハビリテーションへの意識づけとなり，ホームエクササイズの継続につながったものと思われる．日記内容では，初期は「ふらつく．1人だと不安」などのネガティブな記録が多くみられたが，徐々に「買い物してもふらつかない．今日は美容院へ行けた」などのポジティブな記録へ変化した．

＊　＊　＊

前庭機能低下症に対するリハビリテーションは，1970年代より行われており，その効果が示されている．前庭リハビリテーションの内容は，GSE（adaptation），habituation，substitutionをもとに行われているが，効果的な前庭リハビリテーションを行ううえでは適切な評価を行い，患者の身体の状態はも

ちろん，細かな訴えや，患者を取り巻く環境などを詳細に把握し，患者個人に合わせた前庭リハビリテーションプログラムを立案することが重要である．

めまいを訴える患者は，精神疾患，神経疾患などのさまざまな病態を抱えている場合が多い．主治医と密に連絡を取り合って，情報交換しやすい環境を整備しておくことも，効果的な前庭リハビリテーションを行うためには重要である．

■ 文 献
1) Cawthorne T: The physiological basis for head exercise. J Chart Soc Physiother 30: 106, 1944.
2) Cooksey FS: Rehabilitation in vestibular injuries. Proc R Soc Med 39: 273–278, 1946.
3) 若林諒三，他：難治性めまい患者に対する個別リハビリテーションの効果．Equilibrium Res 73: 521–527, 2014.
4) 森本浩之，他：難治性めまい患者に対する個別リハビリテーションの効果（第2報）．Equilibrium Res 76(1): 32–39, 2017.
5) 岡真一郎，他：めまい患者に対する前庭リハビリテーションの効果．末梢性めまいと心因性めまいの比較．理学療法科学 31(2)：321–324, 2016.
6) Shiozaki T, et al: Effects of Vestibular Rehabilitation on Physical Activity and Subjective Dizziness in Patients With Chronic Peripheral Vestibular Disorders: A Six-Month Randomized Trial. Front Neurol 12: 656157. 2021.
7) 加茂智彦，ほか：慢性めまいに対する理学療法士による個別リハビリテーションの効果．理学療法学 46；4：242–249．2016.
8) Kamo T, et al: The：utilization and demographic characteristics of in-hospital rehabilitation for acute vestibular neuritis in Japan. Auris Nasus Larynx 49(5): 762–767, 2022.
9) Morimoto H, et al: Objective measures of physical activity in patients with chronicunilateral vestibular hypofunction, and its relationship to handicap, anxiety and postural stability. Auris Nasus Larynx 46: 70–77, 2019.
10) Asai H, et al: Effects of a walking program in patients with chronic unilateral vestibular hypofunction．J Phys Ther Sci 34: 85–91, 2022.
11) Hall CD, et al: Vestibular Rehabilitation for Peripheral Vestibular Hypofunction: An Evidence-Based Clinical Practice Guideline，NPT 40, 2016.
12) Hall CD, et al: Vestibular Rehabilitation for Peripheral Vestibular Hypofunction: An Updated Clinical Practice Guideline From the Academy of Neurologic Physical Therapy of the American Physical Therapy Association，NPT 46, 2022.
13) Tjernstro F, et al: Current concepts and future approaches to vestibular rehabilitation J Neurol 263 (Suppl 1): S65–S70, 2016.
14) Herdman SJ, et al: Intervention for the patient with vestibular hypofunction. Herdman SJ (ed): Vestibular rehabilitation 3rd ed. F.A. Davis, pp309–337, 2007.
15) Lacour M, et al: Modifications and development of spinal reflexes in the alert baboon (Papio papio) following an unilateral vestibular neurotomy. *Brain Res*

113: 255-269, 1976
16) Maioli C, et al: On the role of vestibulo-ocular reflex plasticity in recovery after unilateral peripheral vestibular lesions. Exp Brain Res 59: 267-272, 1985.
17) Pfaltz CR: Vestibular compensation. Physiological and clinical aspects. Acta Otolaryngol 95: 402-406, 1983.
18) 肥塚 泉：めまいリハビリテーション．日耳鼻　116:147-153, 2013.
19) Grossman GE, et al: Frequency and velocity of rotational head perturbations during locomotion. Exp Brain Res 70: 470-476, 1988.
20) Grossman GE, et al: Performance of the human vestibuloocular reflex during locomotion. J Neurophysiol 62: 264-272, 1989.
21) Rinaudo CN, et al: Human vestibulo-ocular reflex adaptation is frequency selective. J Neurophysiol 122: 984-993, 2019.
22) Schubert NC, et al: New advances regarding adaptation of the vestibulo-ocular reflex. J Neurophysiol 122: 644-658, 2019.
23) Morimoto H, et al: Effect of oculo-motor and gaze stability exercises on postural stability and dynamic visual acuity in healthy young adults. Gait Posture 33: 600-603, 2011.
24) Norre ME, et al: Treatment of vertigo based on habituation, 1: Physio-pathological basis. J Laryngol Otol 94: 689, 1980.
25) Norre ME, et al: Vestibular habituation training for positional vertigo in elderly patients. J Am Geriatr Soc 36: 425, 1988.
26) Norre ME, et al: Vestibular habituation training for positional vertigo in elderly patients. Arch Gerontol Geriatr 8: 117-122, 1989.
27) Smith-Wheelock M, et al: Physical therapy program for vestibular rehabilitation. Am J Otol 12: 218-225, 1991.
28) Shepard NT, et al: Vestibular and balance rehabilitation therapy. Ann Otol Rhinol Laryngol 102: 198, 1993.
29) Shepard NT, et al: Programmatic vestibular rehabilitation. Otolaryngol Head Neck Surg 112: 173, 1995.
30) Shepard NT, et al: Habituation and balance training therapy. Neurol Clin 5: 459, 1990.
31) Clendaniel RA: The effect of habituation and gaze stability exercises in the treatment of unilateral vestibular hypofunction: A preliminary results. J Neurol Phys Ther 34: 111116, 2010.
32) Halmagyi GM, et al: Vestibular function after acute vestibular neuritis. Restor Neurol Neurosci 28: 37-46, 2010.
33) Han BI, et al: Vestibular rehabilitation therapy: review of indications, mechanisms, and key exercises. J Clin Neurol 7: 184-196, 2011.
34) Tian JR, et al: Impaired linear vestibulo-ocular reflex initiation and vestibular catch-up saccades in older persons. Ann NY Acad Sci 956: 574-578, 2002.
35) Bockisch CJ, et al: Enhanced smooth pursuit eye movements in patients with bilateral vestibular deficits. Neuroreport 15: 2617-2620, 2004.
36) Bach-y-Rita P, et al: Sensory substitu- tion and the human-machine interface. Trends Cog Sci 7: 541-546, 2003.
37) Danilov YP, et al: Efficacy of electrotactile vestibular substitution in patients

with peripheral and central vestibular loss. J Vestib Res 17: 119-130, 2007.
38) 北原糺：慢性めまいへの対応；前庭代償不全．日耳鼻　122: 1097-1101, 2019
39) Dozza M, et al: Auditory bio- feedback substitutes for loss of sensory infor- mation in maintaining stance. Exp Brain Res 178: 37-48, 2007.
40) Basta D, et al: Efficacy of a vibrotactile neurobiofeedback training in stance and gait coditions for treatment of balance deficits: A double blind, placebo controlled multiceter study. Otol Neurotol 32: 1492-1499, 2011.
41) Kadkade PP, et al: Vibrotactile display coding for a balance pros- thesis. IEEE Trans Biomed Eng 11: 392-399, 2003.
42) 山中敏彰：平衡のニューロリハビリテーション．慢性平衡障害への対応．Equilibrium Res 71: 120-135, 2012.
43) Herdman SJ: Vestibular rehabilitation. Curr Opin Neurol 26: 96-101, 2013.
44) Eleftheriadou A, et al: Vestibular rehabilitation strategies and factors that affect the outcome. Eur Arch Otorhinolaryngol 269: 2309-2316, 2012.
45) Whitney SL, et al: The effect of age on vestibular rehabilitation outcomes. Laryngoscope 112: 1785-1790, 2002.
46) Marioni G, et al: Vestibular rehabilitation in elderly patients with central vestibular dysfunction: a prospective, randomized pilot study. Age (Dordr) 35: 2315-2327, 2013.
47) Yardley L, et al: Symptoms, anxiety and handicap in dizzy patients: development of the vertigo symptom scale. J Psychosom Res 36: 731-741, 1992.
48) Yardley L: Prediction of handicap and emotional distress in patients with recurrent vertigo: symptoms, coping strategies, control beliefs and reciprocal causation. Soc Sci Med 39: 573-81, 1994.
49) Aleisa M, et al: Vestibular compensation after unilateral labyrinthectomy: normal versus cerebellar dysfunctional mice. J Otolaryngol 36: 315-321, 2007.
50) Furman JM, et al: Vestibular compensation in a patient with a cerebellar infarction. Neurology 48: 916-920, 1997.
51) Brown KE, et al: Physical therapy for central vestibular dysfunction. Arch Phys Med Rehabil 87: 76-81, 2006.
52) Suárez H, et al: Assessment of the risk of fall, related to visual stimulation, in patients with central vestibular disorders. Acta Otolaryngol 121: 220-224, 2001.
53) Gill-Body KM, et al: Rehabilitation of balance in two patients with cerebellar dysfunction. Phys Ther 77: 534-552, 1997.
54) Balci BD, et al: Vestibular rehabilitation in acute central vestibulopathy: a randomized controlled trial. J Vestib Res 23: 259, 2013.
55) Dix MR: The rationale and technique of head exercises in the treatment of vertigo. Acta Otorhinolaryngol Belg 33: 370-384, 1979.
56) Black FO, et al: Outcome analysis of individualized vestibular rehabilitation protocols. Am J Otol 21: 543-551, 2000.
57) Giray M, et al: Short-term effects of vestibular rehabilitation in patients with chronic unilateral vestibular dysfunction: a randomized controlled study. Arch Phys Med Rehabil 90: 1325-1331, 2009.

第5章

良性発作性頭位めまい症に対するリハビリテーション

I　BPPVの治療とリハビリテーション

　良性発作性頭位めまい症（BPPV）は，めまいを発症する頻度の高い疾患である．BPPVは自然に症状が治まることもあるが，内服治療と比較して，前庭リハビリテーションが早く症状が消失し，効果的であることが知られている[1]．

　BPPVに対する治療は単純な頭位変換であり，ほとんどの場合，1～3回の治療で症状が改善し，非常に有効である．また，2017年にはNeilらによりガイドラインが更新されている[2]．そのほかの治療として，前庭神経切断術，半規管遮断術，障害された半規管の閉鎖術などの外科的治療が挙げられるが，今日では運動療法の結果が良好であるため，外科的治療は少なくなっている．

　効果的な前庭リハビリテーションを行うためには，障害されている半規管の特定，および半規管結石症とクプラ結石症の病態を見分けることが重要である．BPPVに対する治療は，数種類の基本的な頭位変換法である．**表5-1**，**図5-1**に，BPPVに対する治療の選択とフローチャートを示す[3]．

　本章では，BPPVのなかで比較的多数を占める後半規管型に対する前庭リハビリテーションについて解説し，次いで外側半規管型の前庭リハビリテーションについて述べる．なお，後半規管型および外側半規管型のBPPVに加えて，前半規管型BPPVの概念が提唱されているが，症例数が少なく，本稿では紹介にとどめる．

表5-1　良性発作性頭位めまい症に対する治療選択

障害されている半規管	症状の強い半規管結石症	症状の弱い半規管結石症	クプラ結石症
後半規管	CRT Liberatory法 Brandt-Daroff exercise	Brandt-Daroff exercise CRT Liberatory法	Liberatory法 Brandt-Daroff exercise
外側半規管	BBQ Roll法	BBQ Roll法	BBQ Roll法 （すばやい動き）
前半規管	Straight Head Hang （Yacovino）	Straight Head Hang （Yacovino）	Straight Head Hang （Yacovino）

〔Herdman SJ, et al: Physical therapy management of benign positional vertigo. Herdman SJ (ed): Vestibular Rehabilitation, 3rd edition. F.A. Davis, pp233-260, 2007.〕

I　BPPV の治療とリハビリテーション

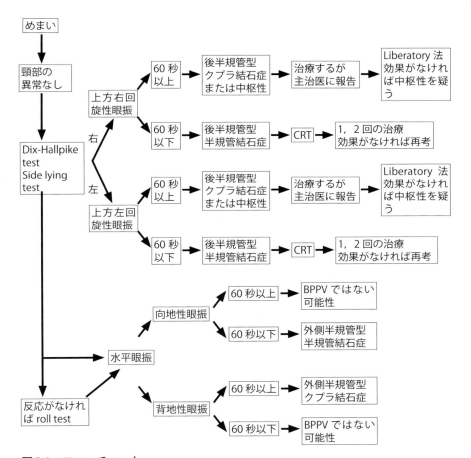

図5-1　フローチャート
〔Herdman SJ, et al: Physical therapy management of benign positional vertigo. Herdman SJ (ed): Vestibular Rehabilitation, 3rd edition. F.A. Davis, pp233-260, 2007.〕

II 後半規管型BPPVに対する前庭リハビリテーション

1. Canalith Repositioning Treatment(CRT)またはEpley法

　Canalith Repositioning Treatment(CRT)は，Epley[4]により，後半規管型の半規管結石症に対する治療を行うために考案された．セラピストは患者の頭部を保持し，半規管の解剖学的位置に合わせて頭部の位置を変換していく．頭部の位置を変換していく際に，患者の姿勢が不安定になる場合もあるため，十分注意が必要である．CRTは，治療前の内服，頭位変換の姿位，タイミング，振動刺激，治療後の患者への指導，の5つの要素からなる(図5-2)．

1) 治療前の内服
　患者は，評価や治療時に嘔気や嘔吐を防止するために，治療の1時間前に制吐剤などを内服する場合がある．薬物治療は，めまいに付随して起こる吐き気を取り除くために用いられるが，BPPVそのものには効果がなく，過去の報告においても治療前の内服は行っていない場合も多い．

2) 頭位変換の姿位
　患者は長座位になり，障害側に頭部を45°回旋させ(図5-2a)，その状態で頭部が治療テーブルの端を越えて20～30°伸展するよう，患者を後方へ倒す(Dix-Hallpike testと同じ姿位，図5-2b)．頭部を伸展したまま反対側へ90°回旋させ，頭部を45°健側に回旋させた状態にする(図5-2c)．次に患者を側臥位にし，さらに頭部を45°回旋させ，その状態を維持する(図5-2d)．最後に患者をゆっくりと座らせ(図5-2e)，頸部を軽度屈曲させる(図5-2f)．これらの一連の頭位変換ごとにめまいが誘発されるため，それぞれの姿位にてめまいが消失するまで，あるいは1～2分間保持する．図5-2は，左側が障害側である．なお，図5-2cの姿位でめまい感を訴えた場合，頭位変換の治療後に高い確率でめまい感が消失する．

3) 頭位変換のタイミング
　各々の頭位変換後に生じる眼振を観察しながら，頭部の位置を変換させる．

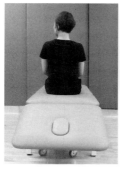  

a. 頸部を45°回旋させる(患側へ回旋).
b. 頭部を45°回旋させたまま伸展させる.
c. 頭部伸展したまま反対側へ90°回旋させる.

d. 側臥位になり,さらに45°回旋させる.
e. 座位に戻る.
f. 頸部を軽度屈曲させる.

図5-2　Canalith Repositioning Treatment(CRT)またはEpley法

　頭位を変換させた後に眼振が起こるが,その眼振の消失を確認するまで,もしくは60秒間その頭位を保ち,その後,次の頭位に変換する.

4) 頭位変換時の振動刺激

　頭位変換時に,障害側の乳様突起部に振動刺激(80Hz)を与え,耳石を動きやすくさせていたが,必ずしも頭位変換中の振動刺激は必要ではない.

5) 治療後の患者への指導

48時間の頭部挙上位の姿勢保持は，耳石が後半規管に入り込むことを防ぐことが可能であると報告されているが，ほとんどの患者の場合，頭部を挙上した姿勢は寝不足や頸部痛を発症するため，頭部の挙上姿勢を保持しておくことは非常に困難である．最近の研究では，48時間の頭部挙上姿勢をとらせず，治療後の指導は特に与えなくても効果は変わらないと報告されている[5-7]．

2. Semont法またはLiberatory法

後半規管型のクプラ結石症に対する治療方法である．患者をベッドに座らせ，頭部を45°健側に回旋させる（**図5-3a**）．頭部を回旋させたまま患者を患側に倒し，頭部はできるかぎり伸展させ，この頭位を3分間維持する（**図5-3b**）．次に，

a. ベッドに端座位をとり，頭部を45°健側に回旋する．

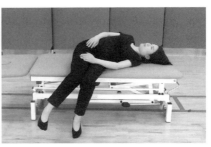

b. 頭部を回旋させたまま患者を患側に倒す．

c. 頭位を維持したまま患者をすばやく反対側に倒す．

d. 頭部を45°左に捻転したまま座位に戻し，ゆっくりと頭部を正面に戻す．

図5-3　Semont法またはLiberatory法

頭位を維持したまま患者をすばやく反対側に倒し，頭部はできるかぎり屈曲させ，この頭位を3分間維持する（**図5-3c**）．最後に頭部を45°左に捻転したまま座位に戻し，ゆっくりと頭部を正面に戻す（**図5-3d**）．

3. Brandt-Daroff exercise

　後半規管型のクプラ結石症に対する治療方法である．患者はベッドに座位になった状態で（**図5-4a**），頭部を健側に45°回旋し（**図5-4b**），患側へすばやく倒れ（**図5-4c**），めまいが止まるまでその姿勢を保持し，再度座位に戻る．座位に移動する際に再度めまいが起こることが多いが，めまいの程度は小さく，持続

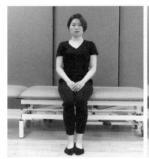  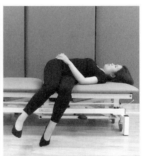

a. ベッドに端座位をとる．　　b. 頸部を健側に45°回旋する．　　c. 頸部を健側に回旋させたまま，患側に倒れる．

d. 再度座位に戻り，頸部を患側に45°回旋する．　　e. 頸部を患側に回旋させたまま，健側に倒れる．

図5-4　Brandt-Daroff exercise

時間も短い場合が多い．次に，頭部を患側に45°回旋し（図5-4d），健側へすばやく倒れてその位置を維持し（図5-4e），再度座位に戻る．めまいが減少するまでこの方法を繰り返す（図5-4）．

4. 頭部・眼球運動などの前庭刺激

前述のCRTなどの頭位変換治療に加えて，頭部・眼球運動などの前庭刺激やバランストレーニングは，歩行や重心動揺を安定させ，めまい感の減少などの効果があると報告されているため，積極的に頭部運動を行う[8]．

III 外側半規管型BPPVに対する前庭リハビリテーション

1. Lempert法またはBBQ Roll

外側半規管型の半規管結石症に対する治療方法である．この方法は，患者の頭部が360°回転するように健側から90°ずつゆっくり回転させていく．すべての姿位においてめまいが治まるまで頭部を保持する．

患者は，仰臥位になる（図5-5a）．次に健側を下に回旋する（図5-5b）．続いて患側方向に回旋して腹臥位となる（図5-5c）．その後，患側が下になるように回旋し（図5-5d），仰臥位に戻る（図5-5e）．その後，起き上がる．

2. そのほかの頭位変換治療

1) 外側半規管に対するLiberatory法またはGufoni法

外側半規管に対するLiberatory法は，向地性眼振の場合（半規管結石症）に対して効果的である．患者は座った状態（図5-6a）から，すばやく健側の耳が下になるように横になる（図5-6b, d）．次に，すばやく鼻が45°下を向くように頭部を回旋する（図5-6c, e）．この姿位を2～3分保持し，再度座位に戻る．図5-6は右側が患側である．

Ⅲ 外側半規管型BPPVに対する前庭リハビリテーション

a. 仰臥位をとる．

b. 健側を下にする．

c. 健側方向に回旋して下を向く．

d. 患側が下になるように回旋する．

e. 仰臥位に戻る．

図5-5　Lempert法またはBBQ Roll

2）外側半規管に対するSemontの変法

　外側半規管に対するSemontの変法は，非向地性眼振の場合（クプラ結石症）に対して効果的である．患者は座った状態から，すばやく患側の耳が下になるように横になる．その次に，すばやく鼻が45°下を向くように頭部を回旋する．この姿位を2～3分保持し，再度座位に戻る．外側半規管に対するSemontの変法は，外側半規管に対するLiberatory法と同様に行うが，健側の耳が下になるか，患側の耳が下になるかの違いである．

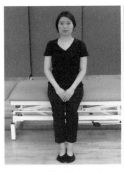  

a. ベッドに端座位をとる.　b. 患者は健側が下になるように，すばやく横になる.　c. 患者は床を向くように，すばやく頭部を回旋させる.

図5-6　外側半規管に対するLiberatory法またはGufoni法

Ⅳ　BPPVに対するホームエクササイズ

　BPPVに対する前庭リハビリテーションでは，前述の後半規管型BPPVに対するCRT，Semont法，外側半規管型BPPVに対するLempert法などが一般的であり，ほとんどの場合1〜3回の前庭リハビリテーションで改善する．しかし，再発する症例が多く[9,10]，また難治例も報告されており[11]，そのような症例に対しては医療機関での前庭リハビリテーションに加え，自分で簡単に効率的に行えるホームエクササイズや，日常的に頭部を動かす指導が有効的である．

　ホームエクササイズとして，前述したCRTやSemont法の有効性が示されているが，方法が容易ではないため，筆者らは自分で簡単に行えるBrandt-Daroff exercise（図5-4）やrolling-over maneuverを指導している．

1. Rolling-over maneuver

　患者は自ら仰臥位になり，左耳が下になるように側臥位へ寝返る（図5-7a〜c）．その姿位で10秒間保持し，再度仰臥位になり10秒間保持する．その後，右耳が下になるように側臥位へ寝返る．その姿位で10秒間保持し，再び仰臥位になり10秒間保持する．Rolling-over maneuverは10回を1セットとし，1日2

a. 右側臥位となる.　　b. 仰臥位へ戻る.　　c. 左側臥位となる.

d. 右耳を下にして仰臥位をとる.　　e. 仰臥位へ戻る.　　f. 左耳を下にして仰臥位をとる.

図5-7 Rolling-over maneuver

セット行う．この運動は，頭部のみの運動（図5-7d〜f），もしくは体幹を含めた頭部運動のどちらでも可能で，健側，患側の区別なく行う．

V　前庭リハビリテーションの効果

　BPPVに対する前庭リハビリテーションは非常に効果的であり，通常1〜3回のセッションでめまい症状が消失し，65〜90％の患者は4〜5年の間はめまいが起こらずに経過している．また，CRTはめまいを減少させるだけではなく，重

心動揺も減少させることが報告されており[8]，めまい感と重心動揺の両方を改善させることが可能である．

CRTにより耳石が半規管から排出された場合でも，48～72時間はめまい感やふらつき感が残存することが多いが[12]，これは頭位変換により耳石が半規管から卵形嚢へと排出され，今までとは異なる場所に耳石が移動するためであると考えられている．

BPPVは再発する症例[9]や難治例も多く[11]，1年以内の再発率は22～30％であり，医療機関での前庭リハビリテーションに加えてホームエクササイズを継続して行い，経過をみていく必要がある．

VI 前半規管型BPPVに対する前庭リハビリテーション

前半規管型BPPVは，半規管の最もまれな症状と考えられている[13]．前半規管は解剖学的に内耳の情報に位置し，後半規管と外側半規管の両方よりも高いため耳石が重力に逆らって膜迷路内に入る可能性が低い[14]．リハビリテーションの方法を**図5-8**に示す．

＊＊＊

BPPVはめまい症のなかでは最も多い疾患の1つであり，日常的に遭遇する機会が多い．BPPVに対する治療は前庭リハビリテーションが非常に有効であり，リハビリテーション分野においてもニーズが高まっている．

BPPV患者はめまいを誘発する姿位を学習しており，日常的にめまいが起こらないように生活することで，逆に症状の改善を妨げている場合が多い．BPPVの病態や治療法を説明するなどの患者教育を行い，日常生活において積極的に動いていくようにすることも，治療効果を高めるうえでは重要である．

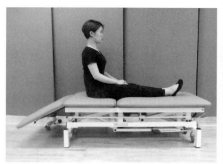

a. 頭部を正中位にして，端坐位をとる．

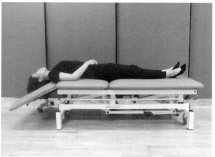

b. すばやく背臥位になり，頭部をベッド端から30°ぶら下がるようにする．めまいが治まるまで，30秒間保持する．

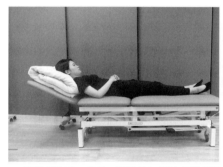

c. 症状が治まったら，背臥位にて枕を頭の下に入れる．めまいが治まるまで，30秒間保持する．

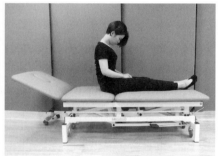

d. ゆっくりと座位に戻り，顎を引く．この状態を30秒間維持する．

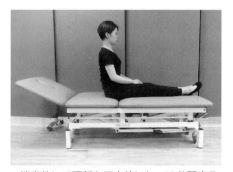

e. 端坐位にて頭部を正中位にし，15分間座る．

図5-8 前半規管型BPPVに対する前庭リハビリテーション

■ 文 献

1) 武田憲昭編：めまい診療ハンドブックー最新の検査・鑑別診断と治療. 中山書店, 2022.
2) Bhattacharyya N, Gubbels SP：Clinical Practice Guideline: Benign Paroxysmal Positional Vertigo (Update). Otolaryngol Head Neck Surg 156(3):417-425, 2017.
3) Herdman SJ, et al: Physical therapy management of benign positional vertigo. Herdman SJ (ed): Vestibular Rehabilitation, 3rd edition. F.A. Davis, pp233-260, 2007.
4) Epley JM: Positional vertigo related to semicircular canalithiasis. Otolaryngol Head Neck Surg 112: 154-161, 1995.
5) Mostafa BE, et al: The necessity of post-maneuver postural restriction in treating benign paroxysmal positional vertigo: a meta-analytic study. Eur Arch Otorhinolaryngol 270: 849-852, 2013.
6) De Stefano A, et al: Are postural restrictions necessary for management of posterior canal benign paroxysmal positional vertigo? Ann Otol Rhinol Laryngol 120: 460-464, 2011.
7) Fyrmpas G, et al: Are postural restrictions after an Epley maneuver unnecessary? First results of a controlled study and review of the literature. Auris Nasus Larynx 36: 637-643, 2009.
8) Chang WC, et al: Balance improvement in patients with benign paroxysmal positional vertigo. Clin Rehabil 22: 338-347, 2008.
9) Steenerson RL, et al: Effectiveness of treatment techniques in 923 cases of benign paroxysmal positional vertigo. Laryngoscope 115: 226-231, 2005.
10) Helminski JO, et al: Daily exercise does not prevent recurrence of benign paroxysmal positional vertigo. Otol Neurotol 29: 976-981, 2008.
11) Horii A, et al: Intractable benign paroxysmal positioning vertigo: Long-term follow-up and inner ear abnormality detected by three-dimentional magnetic resonance imaging. Otol Neurotol 31: 250-255, 2010.
12) Teggi R, et al: Residual dizziness after successful repositioning maneuvers for idiopathic benign paroxysmal positional vertigo. ORL J Otorhinolaryngol Relat Spec 75: 74-81, 2013.
13) Nuti D, et al: Benign paroxysmal positional vertigo: what we do and do not know. Sem Neurol 40: 49-58, 2020.
14) Crevits L: Treatment of anterior canal benign paroxysmal positional vertigo by a prolonged forced position procedure. J Neurol Neurosurg Psychiatry 75: 779-781, 2004.

第6章

頸部障害のリハビリテーション

頸部痛や外傷性頸部症候群では，めまい症状の出現率は高い．外傷性頸部症候群では，60％にめまい症状を自覚するといわれている．また，頸部痛や外傷性頸部症候群の患者は，頸部関節位置覚の低下を示すとともに，重心動揺が増加することが報告されている[1-5]．さらに，頸部筋疲労は，重心動揺を増加させることが報告されている[6-9]．

一方，頸部障害患者に対する頸部固有受容器トレーニングは，頸部痛を軽減し，頸部関節位置覚の改善や重心動揺を減少させることが報告されている[10,11]．1995年，カナダ・ケベックで外傷性頸部症候群のリハビリテーションプログラムが示され，平衡機能，耳下学的アプローチが推奨された[12]．本章では，頸部障害に対するリハビリテーションについて，前庭機能を中心としたアプローチを紹介する．

I 頸部障害

1. 外傷性頸部症候群

外傷性頸部症候群は，衝突事故やコンタクトスポーツによる外傷など，リハビリテーションの対象疾患となることが多い．外傷性頸部症候群の症状は，頸部痛および可動域障害などの整形外科的症状や，感覚障害およびしびれなどの神経学的障害をはじめ，めまいや頭痛など，多岐にわたる[13]（表6-1）．

衝突実験での報告では，時速4～8km/hで身体症状が出現し，10～15km/hでは組織損傷が起こるといわれている[14]．また，追突後の頸椎の動きは50～75msで下位頸椎が過前弯を呈して，その後，頸椎全体が伸展し，第4/5頸椎で関節面圧縮力の上昇が起こる．50～150msでは第6/7頸椎の椎間関節包が生理的伸張を超えると報告されている[15,16]（図6-1）．一方，50ms後に第1/2頸椎で屈曲し，100ms後に大きく伸展するとの報告もあり，追突により上位頸椎は過剰な運動とともに衝撃を受けることがわかる（図6-2）．

2. 姿勢による影響

正中位での座位・立位は，メカニカルストレスを分散し均等に荷重を受けて

表6-1 外傷性頸部症候群の主症状

分野・領域	主症状
整形外科学的障害	項頸部痛，頸部可動域制限，肩甲・上肢痛
神経学的障害	感覚障害，しびれ感，脱力感
聴覚障害	耳鳴，聴力低下
耳鼻咽喉科学的障害	嚥下障害，発語障害，喉頭麻痺
平衡障害	回転性めまい，非回転性めまい
口腔外科学的障害	咬合障害，顎関節痛，顎関節不安定症
神経心理学的障害	不安神経症，記銘力障害，注意力障害
脳神経外科学的障害	頭痛，嘔吐，外転神経麻痺（機能障害，一過性）

（彌山峰史，他：外傷性頸部症候群の病態．整形・災害外科 52: 121-127, 2009.）

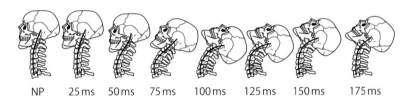

図6-1 後面衝突後の頭頸部の動き
(Panjabi MM, et al: Mechanism of whiplash injury. Clin Biomechanics 13: 239-249, 1998.)

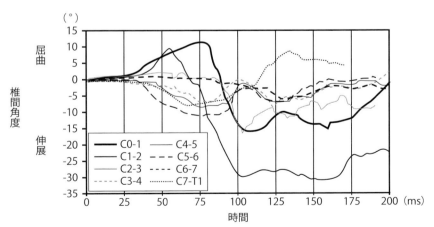

図6-2 後面衝突後の後頭下関節・頸部椎間関節の動き
(Panjabi MM, et al: Mechanism of whiplash injury. Clin Biomechanics 13: 239-249, 1998.)

いるが，姿勢の変化や筋緊張の不均衡，加齢によるアライメントの変化などにより，局所へのストレスが増大する．脊柱後弯位での立位は，前方に重心が移動し，頸部伸展位となる．Grimmer-Somersらは，背部にバッグを背負った実験から，頭部が前方へ移動することを示している[17]．また頸部前屈位では，頭部の重心が前方へ移動するため，頸部背部筋群の張力が高くなり，筋へのストレスが増大する（図6-3）[18]．なお，椎間関節の関節包には侵害受容器が多く，50％弱の持続的伸張により疼痛を発生することも報告されている[19]．したがって，頸部症候群に対するリハビリテーションでは，頸部上位と下位を区別した評価や治療が必要となるとともに生活指導が重要である．

3. 頸部筋疲労

Visual Display Terminal(VDT)作業による身体的な疲労・症状の訴えとして「眼の疲れ(91％)」や「頸・肩凝り(75％)」の報告が多い[20]．さらにVDT作業は，追従性眼球運動，衝動性眼球運動などに影響する眼球運動制御障害や，頸部疲労・頸部痛が発生する筋骨格障害を生じる[20-22]．これらの要因は，対象物への網膜上のズレ（動揺視）の発生や作業効率の低下を引き起こすことで，交通事故発生の誘因となったり，労働災害のリスクが増大することが考えられる（図6-4）．

深頸筋群からの求心性入力は迷路からの入力と前庭神経核で統合され，小脳の片葉や虫部へ投射される．健常若年者と頸部筋疲労を有する人で，動体視力

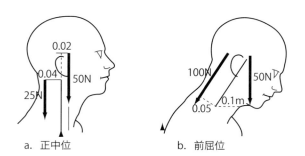

図6-3　姿勢による頸部への負荷の違い
(Oatis CA: KINESIOLOGY. Lippincott Williams & Wilkins, pp451-495, 2004.)

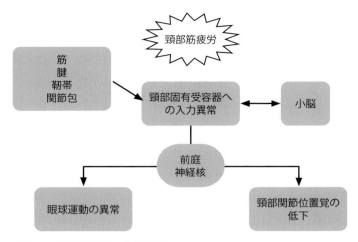

図6-4 頸部筋疲労による障害

(DVA)を評価した結果,頸部に筋疲労を有する者は,動体視力に悪影響を及ぼすことが認められた[23]．

私たちの研究においても,VDT作業前後に,頸部疲労に対する自覚症状を調べたところ,VASでは作業前に対して作業後で有意に疲労度が増し,通常歩行では1区間,2区間で歩隔が有意に増加した．一方,2区間で左頸部回旋を伴う歩行では2区間で身体各部位の動揺が有意に増加し,歩隔は1区間に対し3区間で有意に減少した(図6-5)．

 評価

1. 関節可動域

頸部は機能的に上位と下位に分類されるが,関節可動域の計測は頸部全体を捉えた表記がなされている．ここでは,特に姿勢制御に関与する上位を中心に述べる．

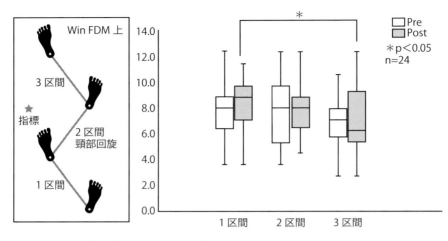

図6-5　VDT作業前後における頸部回旋歩行時の歩隔変化
我々の研究においても，visual display terminal（VDT）作業後，頸部疲労に対する自覚症状調べ・VASでpreに対しpostで有意に疲労度が増し，通常歩行では1区間，2区間で歩隔が有意に増加した．一方，2区間で左頸部回旋を伴う歩行では2区間で身体各部位の動揺が有意に増加し，歩隔は，1区間に対し3区間で有意に減少した．

1）頸部の構造と運動[24]

　環椎後頭関節は，後頭骨後頭顆の凸形部と環椎上関節窩の凹形部が連結している．環椎後頭関節では回旋運動はほとんど起こらず，屈曲−伸展運動が主体であるが，側屈運動もわずかに可能である．

　環軸関節は，正中環軸関節と左右1対の椎間関節（以下，外側環軸関節）からなる．正中環軸関節は環椎の前弓と軸椎の歯突起が連結し，歯突起の後方を横靱帯が張っている．横靱帯は歯突起の後方への逸脱を防止し，脊柱管のスペースを確保する重要な役割を果たしている．外側環軸関節は，環椎の下関節面と軸椎の上関節面により形成され，関節面はほぼ水平で，回旋しやすい形状となっている．

　環軸関節では側屈運動はほとんど起こらず，回旋運動が主体であるが，屈曲−伸展運動もわずかに可能である．頭頸部の回旋運動の約半分が，環軸関節で行われる（**図6-6**）[24]．また，上位頸椎の固定には，横靱帯や翼状靱帯が重要な役割をもつ．

　第3～7頸椎の椎間関節は，水平面に対し45°傾斜しており，関節面の向きに

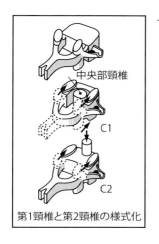
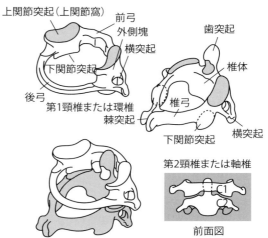

a. 上位頸椎の構造

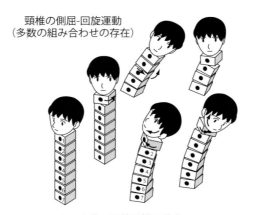

b. 上位・下位頸椎の動き

図6-6 頸椎の動き
〔井原秀俊, 他(訳):図解 関節・運動器の機能解剖 上肢–脊柱編. 協同医書出版社, pp113-139, 1999.〕

より屈曲－伸展，側屈，回旋の運動が可能となる（図6-6b）．頸椎における運動は，このような上位頸椎と下位頸椎が独立して働くだけでなく，協調して相互に作用し，全脊柱のなかで最も大きな可動性を得ている．

2）上位頸椎の測定

頸部の可動域検査は，一般的には日本リハビリテーション医学会の指針に沿って行うが，頸部障害では前庭機能における上位頸部の役割に着目し，上位頸部と下位頸部の分離した動きに対してアプローチする．ここでは上位頸部の測定について述べる．

（1）前後屈（図6-7）
耳孔を軸とし後頭下関節で前屈・後屈を行う．

（2）側屈（図6-8）
鼻先端を中心に後頭下関節で側屈を行う．

（3）回旋（図6-9）
頸部屈曲位にて下位椎間関節を固定し，環軸関節で回旋を行う．

3）上位頸椎の安定性の評価

上位頸椎の検査および翼状靱帯のストレス検査には，sharp-purser test（図6-10）や翼状靱帯ストレステスト（図6-11）がある[25]．

図6-7　上位頸椎の屈曲

図6-8　上位頸椎の側屈

図6-9　上位頸椎の回旋

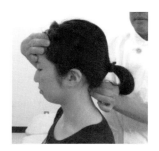

図6-10 Sharp-purser test
頭部を屈曲位にし，第2頸椎棘突起を固定し頭部を後方へ押す．

a. 側屈翼状靱帯ストレステスト
第2頸椎棘突起を固定し頭部を他動的に側屈させる．

b. 回旋翼状靱帯ストレステスト
第2頸椎棘突起を固定し頭部を他動的に回旋させる（正常は20〜30°）．

図6-11 翼状靱帯ストレステスト

2. 固有感覚の評価

1) 頸部固有感覚

　頸部固有感覚は，前庭機能や眼球運動と協調して姿勢制御に関与する．頸部固有感覚は上部背側の抗重力筋に多く，特に頭板状筋，大後頭直筋，頭半棘筋，頭最長筋[26)]の筋紡錘からは，位置情報を伝えるⅡ群線維が多い[27)]．頸部筋への刺激に対する反応は第2〜3頸椎でみられ，第5頸椎ではみられない（図6-12）[28)]．また，頸部筋の振動刺激が重心動揺の増大や下腿三頭筋の収縮を促通することが報告されている[29)]．ときに頸部の伸展で身体の不安定性を訴えるが，これは視覚情報と固有感覚との不一致や，伸展運動が耳石器の至適可動範囲を逸脱したことによるといわれている[30)]．

2) 頸部関節位置覚の測定 (Relocation test)

　Relocation testはRevelら[31)]が報告しており，頸部回旋運動前に対して，回旋後に戻した時の回旋角度の差から，関節位置覚の低下を測定する検査である．
　肢位は椅子座位で，被験者の頭部にレーザーポインターを装着し（図6-13），最初に，被験者は安静・閉眼にて，頭頸部正中位で基準点を決める．次に，頸部を一側方向に最大回旋したのち自覚的開始肢位まで戻し，この動作を無作為

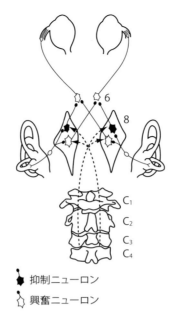

図6-12 頸部固有感覚器の分布
(Hikosaka O, et al: Cervical effects on abducens motoneurons and their interaction with vestibulo-ocular reflex. Exp Brain Res 18: 512-530, 1973.)

に，一側方向へ10回繰り返す．さらに，反対側も同様に行う．測定は，壁面に描写した点をビデオで撮影し，基準点に対する頭部回旋後のずれを計測する．

臨床的に簡易的な方法としては，壁に的を張り，relocation test同様にレーザーポインターを用いて点数化する方法（図6-14）や，眼鏡に紙を張り，中心に5mm程度の穴をあけ，前方に提示した目標物が確認できるか否かで評価する方法もある（図6-15）．

3. 姿勢安定性の評価

1) 重心動揺の測定

重心動揺の測定は，日本めまい平衡医学会が定める重心動揺検査に準じる（第3章参照）．

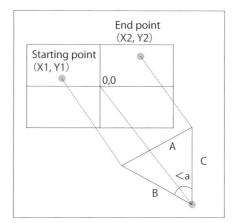

a. 測定肢位　　　　　　　　　　b. 算出方法

図6-13　Relocation test

図6-14　簡易的relocation test　　図6-15　簡易的検査法

2）Equitest®

Equitest®（Neurocom社製）は，sensory organization testにて行う．重心動揺の指標としては，足圧中心の角速度からExcel®を使用し，総軌跡長を算出する（第3章参照，p.62-63）．

4. 視覚検査

視覚検査は，ランドルト環法などを用いた静的視力の測定と，動いている物

を識別する動体視力検査がある（第3章参照）．

Ⅲ 頸部リハビリテーション

1. プログラム

　1995年，Spitzerら[32]により，頸部障害に対する前庭や姿勢保持環境へのアプローチが紹介され，，眼球に対するトレーニング，姿勢保持，認知行動療法を意識したプログラムが導入された．頸部障害に対するリハビリテーションは，障害像を十分に評価し，神経学・耳性学的アプローチを含め，適切なプログラムを構築する必要がある（図6-16）．

2. 関節可動性の改善

1) 頸部可動域増大[33-35]

　関節可動性の増大には，関節可動域評価や疼痛評価をもとに筋緊張を把握し，関節の形態，バイオメカニクス，筋肉の形態・走行を考慮し，頸部上位・下位を意識したストレッチングを行う必要がある．

(1) 頸部の屈曲

　表層より僧帽筋，頭板状筋，頭半棘筋，肩甲挙筋の走行を考慮し，下位頸椎の動き，後頭下関節の動きに合わせてストレッチを行う（図6-17）．

(2) 頸部の伸展

　胸鎖乳突筋，広頸筋の走行を考慮し，下位・上位頸椎の運動に合わせてストレッチを行う．また，頸長筋を触知し徒手的にストレッチを行う（図6-18）．

(3) 頸部の側屈

　僧帽筋，肩甲挙筋に対して頸部側屈運動にてストレッチを行い，最終域で上位頸部の動きを意識して鼻尖を中心に，さらに側屈する（図6-19）．

```
┌─────────────┐     ┌─────────────────────────────────┐
│    評価     │     │           理学療法              │
├─────────────┤     ├─────────────────────────────────┤
│ ・疼痛      │     │ ・物理療法                      │
│ ・知覚      │     │ ・ストレッチング                │
│ ・めまい    │  ⇒  │    スタティックストレッチング   │
│ ・筋緊張    │     │ ・頸部固有受容器に対するトレーニング│
│ ・可動性    │     │   1. 頸部回旋トレーニング       │
│ ・椎骨動脈  │     │   2. 回転椅子トレーニング       │
│ ・固有感覚  │     │ ・協調性トレーニング            │
│ ・動体視力  │     │   1. Gaze stability exercise    │
│ ・姿勢      │     │   2. 頸部固有受容器と視覚の協調 │
└─────────────┘     │     (レーザーポインタートレーニング)│
                    │   3. 頭部固定(前庭トレーニング) │
                    │ ・姿勢指導・耐久性のトレーニング│
                    │ ・認知行動療法                  │
                    └─────────────────────────────────┘
```

図6-16　リハビリテーションの流れ

a. 下位頸椎

b. 上位頸椎

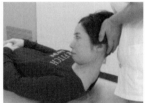
c. 肩甲挙筋

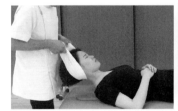
d. 他動的ストレッチ

e. セルフストレッチ

図6-17　頸椎の屈曲

(4) 頸部の回旋

　頸部の回旋は，下位の複合運動と頸部屈曲位により下位頸椎を固定し，環軸関節を中心とした水平面上での動きを誘導する(**図6-20**).

164 ● 第6章 頸部障害のリハビリテーション

 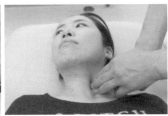

a. 広頸筋　　　　　　　　　　b. 頸長筋

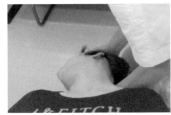 

c. 胸鎖乳突筋

図6-18　頸部の伸展

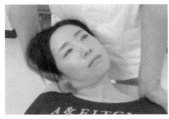 

a. 下位頸椎の運動　　　　　　b. 上位頸椎の運動

図6-19　頸部の側屈

a. 正面から　　　　b. 側面から　　　　c. セルフストレッチ

図6-20　上位頸部の回旋

3. Gaze stability exercise

　頭部の動きと眼球運動の協調性をトレーニングすることにより，動体視力の向上とともに，姿勢の安定性が獲得できる．具体的な方法は第4章を参照．

4. 頸部固有感覚トレーニング

　ストレッチング後，頸部の可動性が確保されたのち，頸部の運動により前庭感覚および視覚，頸部固有感覚のへの刺激を目的とした運動を行う．

1) レーザーポインターを用いたトレーニング[36]

　頭部にレーザーポインターを装着し，前方に掲げてある線画などをなぞることにより，感覚器に刺激を入力する（図6-21）．

2) 回転椅子による方法

　頭部固定で頸部を回旋し，頸部固有受容器を促通する（図6-22）．さらに，体幹固定位で頭部の回旋を誘導し，頭部の固定感覚を促通する（図6-23）．また，眼球運動と頸部固有感覚を統合するため，一点を注視し頭部を固定状態で体幹を回旋する（図6-24）．

3) Relocation test法を応用したトレーニング

　頸部固有受容器トレーニングは，relocation testを改変した方法にて，各頸部回旋運動後に開眼し，レーザーと基準点の差を視覚的に修正することで視覚

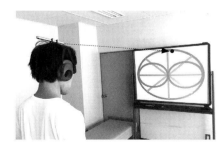

図6-21　レーザーポインターを用いたトレーニング

図6-22 頭部固定位での回旋　　図6-23 体幹固定位での頭部の回旋　　図6-24 注視した頭部固定位での体幹回旋運動

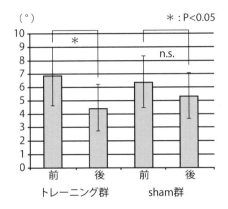

図6-25　Relocation test
健常若年者33名（男性16名，女性17名，平均年齢20.1±1.6歳）を対象に10日間のトレーニング実験を行い，トレーニング群においてrelocation testの誤差が，6.94±2.18°から4.58±1.76°へと有意に低下した．Sham群では6.54±1.96°から5.48±1.73°となり，有意な低下は示さなかった．
（小田恭史，他：頸部固有感覚トレーニングが重心動揺に及ぼす影響についての研究．日本福祉大学健康科学論集 17: 1-6, 2014.）

的フィードバックを与える．1回5分で10日間のトレーニングを行った結果，頸部関節位置覚のトレーニング前後で，頸部関節位置覚は有意に改善した（図6-25）[37]．

a. 椅子が低く骨盤が後傾し，体幹は前傾位で頭部は突出し，頸部伸展している．

b. 椅子の高さを調整し，下肢全体で支え，体幹頸部中間位に保持している．

図6-26 姿勢指導

5. 姿勢指導

　円背姿勢は脊柱に対して頭部が前方に位置する．したがって，正中位に頭部が位置する場合は，頸椎に荷重が分散されて頭部が保持されるが，胸部後弯位では前方に荷重が移動するため，頸部後方や背部の筋により保持される．また，胸部後弯位は頭部の伸展により頭部の正中位を維持するため，頸部深部筋や胸鎖乳突筋の持続的緊張を招くことが推測される（図6-26）．

＊　＊　＊

　頸部障害では，上位頸椎・下位頸椎の構造から動きの特徴を把握するとともに，頸部周囲筋の走行や固有感覚器の分布を理解し，評価する必要がある．評価では，姿勢などによる力学的問題や外力による傷害の特徴を分析し，疼痛や可動性，筋緊張などの関連性を理解する．また，徒手的治療や運動療法は評価をもとに，機能解剖学的な側面と神経生理学的な側面から，局所機能の改善，眼球運動，頭部の動きに着目しつつ，姿勢制御を含めた運動療法を行うことが重要である．

　なお，パーソナルコンピュータなどの情報機器を使用して行う作業における労働衛生管理に関して，以前より厚生労働省が「VDT作業における労働衛生管理のためのガイドラインについて」（2002年）を示していたが，2021年12月1日，

「情報機器作業における労働衛生管理のためのガイドライン」へと更新されたので，留意されたい．

■ 文 献

1) Revel M, et al: Cervicocephalic kinesthetic sensitivity in patients with cervical pain. Arch Phys Med Rihabil 72: 288-291, 1991.
2) Field S, et al: Standing balnce: A comparison between idiopathic and whiplash-induced neck pain. Manual Therapy 13: 183-191, 2008.
3) Treleaven J, et al: Standing balance in persistent whiplash: A comparison between subjects with and without dizziness. J Rehabil Med 37: 224-229, 2005.
4) Treleaven J, et al: Dizziness and unsteadiness following whiplash injury: Characteristic feature and relationship with cervical joint position error. J Rihabil Med 35: 36-43, 2003.
5) Poole E, et al: The influence of neck pain on balance and gait parameters in community-dwelling elders. Manual Therapy 13: 317-324, 2008.
6) Roijezon U, et al: A novel method for neck coordination exercise-apilot study on persons with chronic non-spesific neck pain. J Neuroeng Rehabil 36, 2008.
7) Gomez S, et al: Differences between body movement adaptation to calf and neck muscle vibratory proprioceptive stimulation. Gait And Posture 30: 93-99, 2009.
8) Schieppati M, et al: Neck muscle fatigue affects postural control in man. Neuroscience 121: 277-285, 2003.
9) Gosselin G, et al: Effects of neck extensor muscles fatigue on balance. Clin Biomechanics 19: 473-479, 2004.
10) Brandt T: The multisensory physiological and pathological vertigo syndrome. Ann Neurol 7: 195-203, 1980.
11) Honrubia V, et al: Paroxysmal positional vertigo syndrome. Am J Otol 20: 465-470, 1999.
12) Spitzer WO et al: Scientific monograph of Quebec task force on whiplash-associated disorders：Redefihing whiplash and its management.Spine 20: 2S-73S, 1995.
13) 彌山峰史，他：外傷性頸部症候群の病態．整形・災害外科 52: 121-127, 2009.
14) 小谷喜久：外傷性頸部症候群の生体力学的解析の進歩．臨床整形外科 42: 969-975,.
15) Peason AM, et al: Facet joint kinematics and injury mechanisms during simulated whiplash. Spine 29: 390-397, 2004.
16) Panjabi MM, et al: Mechanism of whiplash injury. Clin Biomechanics 13: 239-249, 1998.
17) Grimmer-Somers K, et al: Measurement of cervical posture in the sagittal plane. J Manipulative and Physiological Therapeutics 31: 509-517, 2008.
18) Oatis CA: KINESIOLOGY. Lippincott Williams & Wilkins, Philadelphia, pp451-495, 2004.
19) Cavanaugh JM, et al: Pain generation in lumbar and cervical facet joints. J Bone Joint Surg 88A: 63-67, 2006.
20) 厚生労働省：VDT作業における労働衛生管理のためのガイドライン，2008.

21) 辻友浩：VDT作業時における中枢性疲労の眼球運動計測による定量的評価．人間工学 26：150-151, 2009.
22) Gwendolen J, 他：頸椎と感覚運動の制御. Jull G, 他（著），新田収，他（監訳）：頸部障害の理学療法マネージメント．ナップ，pp49-69, 2009.
23) Amer A, et al: Determine the effect of neck muscle fatigue on dynamic visual acuity in healthy young adults. J Phys Ther Sci 27: 259-263, 2015.
24) 井原秀俊，他（訳）：図解 関節・運動器の機能解剖 上肢-脊柱編．協同医書出版社，pp113-139, 1999.
25) 石川斎，他（監訳）：筋骨格系検査法．医歯薬出版，pp73-74, 1999.
26) 遠藤健司，他：頸部固有受容器とめまい．脊椎脊髄 11: 843-847, 1998.
27) 伊藤文雄：筋感覚の科学．名古屋大学出版会，1985.
28) Hikosaka O, et al: Cervical effects on abducens motoneurons and their interaction with vestibulo-ocular reflex. Exp Brain Res 18: 512-530, 1973.
29) Gomez S, et al: Differences between body movement adaptation to calf and neck muscle vibratory proprioceptive stimulation. Gait And Posture 30: 93-99, 2009.
30) 望月仁志：頸性めまい．Medical Practice 25: 368-369, 2008.
31) Revel M, et al: Cervicocephalic kinesthetic sensitivity in patients with cervical pain. Arch Phys Med Rihabil 72: 288-291, 1991.
32) Spitzer WO, et al: Scientific monograph of the Quebec Task Force on Whiplash-Associated Disorders; redefining "whiplash" and its management. Spine 20: 1S-73S, 1995.
33) 鈴木重行，他：ID ストレッチング．三輪書店，pp80-98, 2007.
34) 浅井友詞，他：頸部のセラピューティック・ストレッチング．理学療法 27: 1054-1061, 2010.
35) 浅井友詞，他：メカニカルストレスからみた頸部障害と理学療法．理学療法 31: 1-9, 2014.
36) 浅井友詞，他：バランスの獲得・改善．柳沢健（編）：ゴールド・マスター・テキスト運動療法学．メジカルビュー社，pp100-113, 2010.
37) 小田恭史，他：頸部固有感覚トレーニングが重心動揺に及ぼす影響についての研究．日本福祉大学健康科学論集 17: 1-6, 2014.

第7章

さまざまな前庭トレーニング

I 姿勢制御

1. 前庭機能

　半規管，平衡斑，外眼筋，頸部固有受容器から得られた情報は，前庭神経核で集約され，姿勢反射として体幹や四肢の伸筋群の収縮，眼球運動の制御，頭部の固定が起こる．しかし一方では，大脳基底核から上行し，大脳で統合された情報は下降し，姿勢を制御する．

1) 前庭の役割

　前庭は，頭部の動き，および重力下での頭部の動き，さらに乗り物の動きによって発生する慣性力の情報を，中枢神経系に供給する．

　半規管が受けた情報は直接供給され，自己の動きを感じとり，例えば歩行時の踵接地や突然のつまずき，すべりで起こる衝撃によって生じる頭部の早い動きに対して，敏感に対処する．

　半規管が回転の動きを感知するのに対して，耳石器は直線方向の加速度を感知する．膝関節の屈伸時などに加わる縦方向の直線加速は球形嚢で，歩行などの前方への推進によって加わる水平の直線加速は卵形嚢で感じとられている．また，耳石器は常に重力の情報を感知する．頭部の傾きによって生じる直線加速に対して，耳石器はリンパの流れを受け，加速度信号を前庭神経核に伝達する．このようにして中枢神経では，重力に対する頭部の位置を，半規管や耳石器から得ている．

　なお前庭は，頭部の位置，動きの速さは知覚できるものの，頭部以外の身体の位置と動きを知覚することはできない．他部位との相対的な位置関係を知覚するためには，ほかの感覚系との統合が必要となる．例えば，うなずく動作やお辞儀をする動作は，どちらも頭部は前方へ回転し垂直半規管が刺激されるが，前庭系の入力のみで双方を区別することはできない．

2) 空間における頭部位置認知の役割

　前庭は，空間的に頭部を固定させることで，動作中の姿勢制御に大きく関与している．頭部の重心は回転軸の上方に位置しているため，身体のどんな動きに対しても頭部の複雑な動きが伴う．この複雑な動きに対して前庭系は，重力

をもとに頭部を空間的に安定させている(図7-1a).前庭系に重力情報が入力されない場合は,頭部と体幹の調節を容易にするために,神経系は体幹に対して頭部を固定する(図7-1b).

スキーやサーフィンなどの運動中に起こる激しい身体の動きに対しても,頭部は空間において比較的安定している.

3) 姿勢保持

前庭からの情報は,前庭神経核の外側核から腰髄まで軸索投射され,前庭脊髄路として,姿勢保持と平衡維持に関与する.これは外側前庭脊髄路を構成し,頸部・体幹・四肢の伸筋群を支配して,抗重力筋を活性化する(図7-2)[1].

二次ニューロンは,内側前庭脊髄路を通って頸髄に至り,頭部を安定させる(図7-3)[2].さらに,頭部の動きと眼球運動との協調性を得るためのニューロンも存在する(図7-4)[2].

4) 前庭にかかわる反射 (表7-1 p.177)

末梢前庭器からの情報は,外眼筋や四肢体幹筋に伝達され,VOR,VCR,VSR,CORとして出現し,さらには自律神経系に出力する前庭自律神経反射が起こる.

a. 空間に対する頭部固定　　b. 体幹に対する頭部固定

図7-1　重力に対する頭部の動き

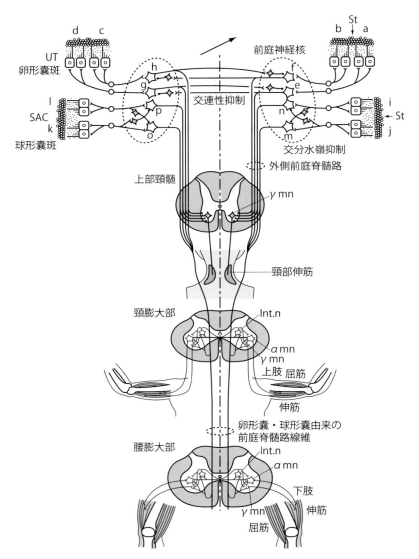

図7-2 前庭脊髄反射
UT：卵形嚢，SAC：球形嚢，St(striola)：分水嶺，Int.n：介在ニューロン，αmn：アルファ運動ニューロン，γmn：ガンマ運動ニューロン
（内野善生：めまいと平衡障害．金原出版，pp9-23，2009．）

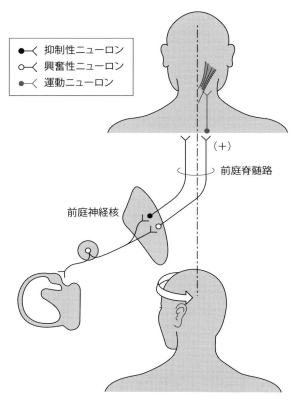

図7-3 前庭頸反射
〔坂井建雄, 他(編):人体の構造と機能. 日本医事新報社, pp560-723, 2009.〕

2. 視覚と眼球運動

視覚の機能には,対象物を認知し,像を映し出して視覚野で認知する結像と,対象物の動きに合わせて眼球を動かす眼球運動(追視)(**表7-2**)がある.

1) 視覚の機能[1,3-6]

結像は,網膜で起こり,視神経をとおして後頭葉の視覚野で物体を認識する.また,認識した像を維持するために,眼球運動(追視)が起こる.

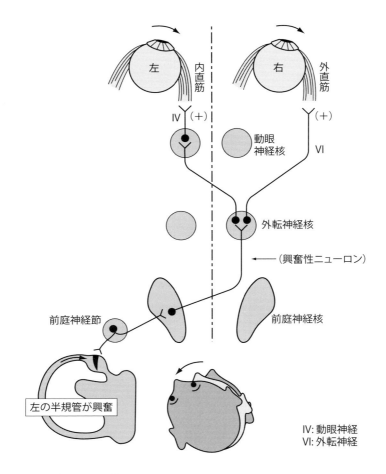

図7-4　前庭動眼反射
〔坂井建雄，他（編）：人体の構造と機能．日本医事新報社，pp560-723，2009．より改変〕

（1）衝動性眼球運動（saccade）

突然注意を引くものに対して，眼球・頭部が向く（注視反応）眼球運動である．網膜上で捉えられた像は二次元的に脳内で処理され，前頭眼野－上丘－脳幹－外眼筋の経路により，500～900°/secの速さで正確に指標を捉える（**図7-5a**）．

表7-1 前庭にかかわる反射

1. 前庭動眼反射（Vestibulo Ocular Reflex：VOR）
前庭からの情報が前庭神経核を経由し，動眼神経核，滑車神経核から外眼筋を支配して，眼球運動を調整する．

2. 前庭頸反射（Vestibulo Collic Reflex：VCR）
前庭からの情報が前庭神経核を経由し，内側前庭脊髄路を通って頸髄に至り，頭部を安定させる．同時に，CORとともに眼球のブレを調整する．

3. 前庭脊髄反射（Vestibulo Spinal Reflex：VSR）
前庭からの情報が前庭神経核を経由し，腰髄まで軸索投射され，前庭脊髄路として姿勢保持と平衡維持に関与する．これは外側前庭脊髄路を構成し，頸部・四肢の伸筋群を支配して，抗重力筋を活性化する．

4. 頸眼反射（Cervico Ocular Reflex：COR）
上部頸椎からの情報が前庭神経核を経由し，動眼神経核，滑車神経核から外眼筋を支配して眼球運動を調整する．

5. 前庭自律神経反射
前庭からの情報が自律神経系に入力され，めまい，頭痛，嘔吐などの自律神経症状が生じる．

表7-2 眼球運動（Dodgeによる5つの分類）

1. 衝動性眼球運動（サッケード，saccade，Saccadic Eye Movement：SEM）
周辺視野にある対象を中心窩で捉える急速な眼球運動

2. 追従性眼球運動（パスート，pursuit，Pursuit Eye Movement：PEM）
対象が移動する場合に，対象を中心窩で捉え続けるために，眼球を滑らかに動かして見続ける眼球運動

3. 前庭動眼反射（Vestibulo Ocular Reflex：VOR）
前庭刺激に反応し，視線を保持する反射

4. 視運動性眼振（Optokinetic Nystagmus：OKN）
動く視覚刺激に対して，視覚刺激と同じ方向へゆっくりと眼球を動かす反応（緩徐相）と，視覚刺激と逆方向へ急速に眼球を動かす反応（急速相）からなる

5. 輻輳と開散（Convergence，Divergence，まとめてバージェンス，Vergence）
対象が近づいたときに両眼が内側へ向かう運動（輻輳），および離れたときに両眼が外側へ向かう運動（開散）

前頭眼野

200msの遅れ
500〜900°/secの動き
で標的を正確に捉える.
a. 衝動性眼球運動（Saccade）

小脳の片葉・虫部

100〜120msの遅れ
約90°/secの速度まで可能

b. 滑動性追跡眼球運動（Smooth pursuit）

図7-5　眼球運動

(2) 滑動性眼球運動（Smooth pursuit）

視野を動く対象物を継続的に追跡する眼球運動である．大脳－中脳－小脳が関与し，ヒトでは最大90°/secの速度まで追うことができる（図7-5b）．眼球の動きは外眼筋により起こるが，その動きの情報は前庭器に連動する．

2) 視覚情報と移動感覚の不一致

代表的な例として，電車が停車中に，対側の電車が移動すると，自分が動いているように感じることがある．これは，視覚的情報のみで前庭に刺激が入力されていないため，視覚と前庭感覚間で不一致が起こることによる．

ヒトは，風景（視覚），移動（前庭覚），運動（固有感覚）による情報が一致することで，安定した姿勢がとれている．前庭機能が低下すると，視覚および固有感覚の2つの感覚で代償できるが，外乱刺激が加わると，バランス機能の低下は著しい．

視覚系は，周囲の物体を対象として，頭部の位置や動きを決定している．視覚系の役割は，重力に対して頭部が傾いているのか，あるいは頭部が直線移動しているのかを決定するうえで必要な情報を，中枢神経系に送り，前庭系の機能を補う．また，視覚系は垂直方向の情報も提供し，垂直な壁やドアを基準として，頭部と身体が垂直であることを決定する．このように視覚系は，周囲の環境をもとに身体状況を認知することで，頭部の遅い動きや静的な傾きを把握する[7,8]．

なお，加齢による視覚の退行性変化では，水晶体の透明度の減弱，水晶体嚢の弾力性の低下，網膜の加齢的変化，コントラスト感度の低下，視覚情報処理速度の低下などにより，危険箇所への視線到達時間の遅延，および危険個所へ

の注視時間の短縮が生じる．このようにして，目標物を認識する反応遅延傾向や，足元付近への注視時間増加および有効視野が狭くなる[9]．

3. 体性感覚[9,10]

　体性感覚は，視覚，味覚，聴覚，嗅覚，平衡感覚以外の感覚であり，皮膚にある多くの受容器として，物に触れた時の圧，質感，部位，形状，振動，位置感覚を感じることができる．特に，位置感覚は固有感覚ともいわれ，筋肉や腱，関節包などに分布した受容器で運動を感知する．固有感覚は，身体の動きや位置を認識するが，頸部固有感覚においては，前庭機能や眼球運動と協調して姿勢制御に関与する．姿勢制御に関与する頸部固有感覚は，第2～3頸椎の固有感覚，および頭板状筋，頭半棘筋，後頭直筋，頭斜筋，頭最長筋などの筋感覚が重要である．

　姿勢制御において体性感覚は，支持面の情報に対して，身体の位置や動き，および身体の各部分の位置と動きの情報を供給している．例えば，前屈した時の頸部の動きを前庭は，頸部での屈曲運動か，あるいは腰部での屈曲運動であるかが判断できないため，体性感覚で認識する．このように体性感覚は，身体の各部位が相対的にどのように位置しているか，支持基底面に対してどのような姿勢をとっているかの情報を，各関節の動きによる筋の伸張や，関節の位置覚によって供給している．

　特に高齢者では，受容器（例：下肢）の閾値が上昇することが，不安定感や躓きの要因となると考えられる．これにより，高齢者の姿勢保持に視覚因子が増加する要因となること，そして筋の柔軟性の低下が伸張反射を誘発して姿勢制御に影響すること，が考えられる．

　体性感覚は，空間における外部からの情報を受け入れ，中枢で統合された後，末梢に情報を伝達し，身体平衡維持に感覚を入力する機構の1つとして，前庭感覚，視覚とともに，重要な感覚である（図7-6）．

4. 姿勢戦略

　姿勢を立て直すための方法はさまざまである．自動姿勢反応は，状況に応じて異なる反応を示す．姿勢戦略は大きく分けて，足関節戦略，股関節戦略，踏み出し戦略の3つに分類される[11]．これらの姿勢戦略のどれを選択するかは，中

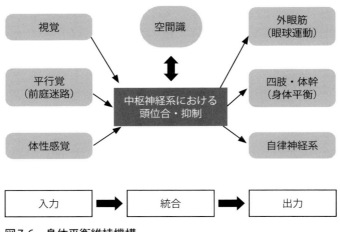

図7-6 身体平衡維持機構

枢にて，予測や過去の経験に基づき決定される．

　筆者らの研究において，床移動の外乱刺激に対して，加速度計による反応時間を頭部，腰部，膝関節部で計測し，若年者と高齢者を比較したところ，若年者では頭部の反応時間は遅く，体幹のしなりにより刺激を吸収したが，高齢者では頭部の反応が早く，次いで腰部，膝の順に直線状に身体が動いた．すなわち，高齢者では基底支持面に対して遠位部の動きが早く，身体動揺が誘発されていた（図7-7）．

5．歩行における役割

　歩行中の頭部は，下肢の影響により，上下左右に2～3cmの幅で動くことが明らかになっており，この上下左右の動きを代償するために，VCRが働く．VCRにより，頭部に加わる矢状面，前額面，水平面での回転運動が，ブレーキをかけるように働き，空間に対して頭部を固定し，歩行による上下左右の揺れを代償している．

　しかし，視覚情報を安定させるためには，頭部の固定だけではなく，頭部と眼球の協調的な働きも重要である．歩行中の網膜上に映し出された視覚情報は2～4°/secのズレを生じるが，これに対しVORが働き，相対的に眼球を動か

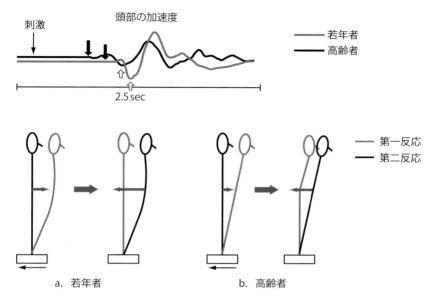

図7-7 床移動の外乱刺激反応における若年者と高齢者の比較

すような注視(gaze stabilization)を引き起こす．VORの働きによって，歩行中でも文字や対象物をはっきりと確認することができる．

　前庭機能が低下すると，頭部の位置が定まらず，姿勢の変化に対して頸部筋活動が遅れ，重力に対して頭部の位置を適正にコントロールできない．このようにして，前庭系は重力に対する頭部の固定において重要な役割を果たしている．

　視覚の関与に関しては，20代では中枢での空間識形式において前庭入力の関与が大きく，視覚依存が低いが，50代では潜在的な前庭機能の低下により，中枢における視覚依存度が高くなる．VORの機能が低下すると，網膜上で生じた像のズレ(動揺視)が，誤差信号および学習の指示信号として，視蓋前域の視索核を介し，登上線維から小脳片葉のプルキンエ細胞に伝達される．一方で，小脳片葉のプルキンエ細胞は，前庭器で受容された頭部の回転刺激を，登上線維および平行線維から受容している．プルキンエ細胞からの唯一の出力線維は，前庭神経核に対して抑制性の信号を送る．つまり，登上線維と平行線維の信号がプルキンエ細胞に同時に入力することで，平行線維ープルキンエ細胞シナプ

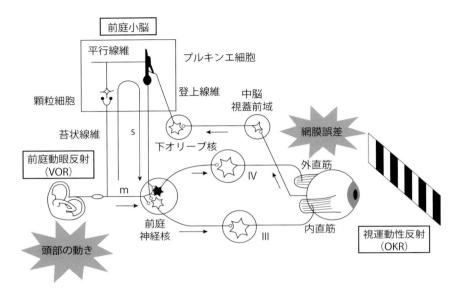

図7-8　前庭小脳の機序
(肥塚 泉：めまいリハビリテーション；日耳鼻 116：147-153, 2013.)

スの伝達効率が低下し，前庭神経核に伝達する抑制性信号の強度が変化し，反射の利得（VOR gain：眼球の速度／頭部の速度）を向上させる（**図7-8**）[12]．

なお，このような場合のリハビリテーションとしては，gaze stability exerciseが有効である．

II 転倒予防に対するトレーニングへの応用

加齢は，視覚，体性感覚，前庭感覚などの感覚器，さらにそれらの感覚を統合する中枢神経系，そして統合された感覚情報に基づく筋骨格系[13-15]などに影響を及ぼし，さまざまな身体の変化をもたらす．

1. 加齢が前庭に及ぼす影響

　加齢により，前庭神経核の神経細胞の減少[16]，前庭神経細胞の減少（図7-9），前庭の有毛細胞の減少[17-21]が認められる（図7-10）．さらに，動体視力検査[40-43]やVEMP[14,26,27]などにより，機能的な低下も報告されている[22,28,29]（図7-11）．

　加齢による前庭障害は，めまいや姿勢不安定性を引き起こすことが推察されていて[30]，めまいを訴える高齢者では，45％に前庭障害があると報告されている[31]．また，転倒により股関節や手関節を骨折した高齢者は，転倒したことのない高齢者に比べて左右の前庭機能の非対称性が大きいこと[31,32]，また，股関節を骨折した患者の31％は，前庭障害を合併していたこと[33]，などの報告がある．さらに，転倒原因が不明な高齢者の80％に前庭障害が認められるなど[34]，加齢は前庭障害を引き起こし，転倒を起こしやすくなることと考えられる．

　明らかな前庭系の障害を有していない場合でも，前庭リハビリテーションの効果は認められている[35,36]．めまいや姿勢不安定性を訴える高齢者は，前庭機能が低下している可能性が非常に高いため，このような症例に対しては積極的にかかわっていく必要がある．

　私たちの研究においても，20代から70代の203人を対象にEquitestを行い，55歳以上と55歳未満に群を分けて解析した結果，COG軌跡長は立位閉眼（条件2）により55歳以上で有意に動揺が増加した．また，床が不安定となる条件4

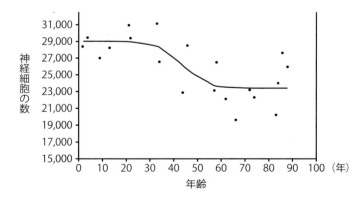

図7-9　加齢と前庭神経節内の細胞の減少
(Park JJ, et al: Age-related change in the number of neurons in the human vestibular ganglion. J Comp Neurol 431: 437–443, 2001.)

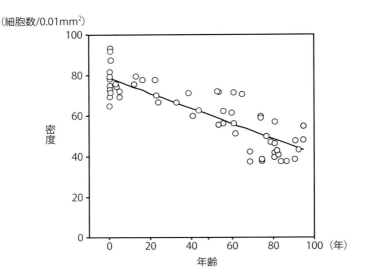

図7-10 半規管の有毛細胞の減少
(Rauch SD, et al: Decreasing hair cell counts in aging humans. Ann N Y Acad Sci 942: 220227, 2001.)

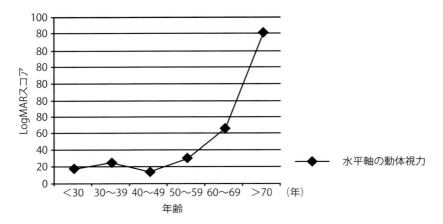

図7-11 加齢と動体視力
(Agrawal Y, et al: Decline in semicircular canal and otolith function with age. Otol Neurotol 33: 832-839, 2012.)

II 転倒予防に対するトレーニングへの応用 ● 185

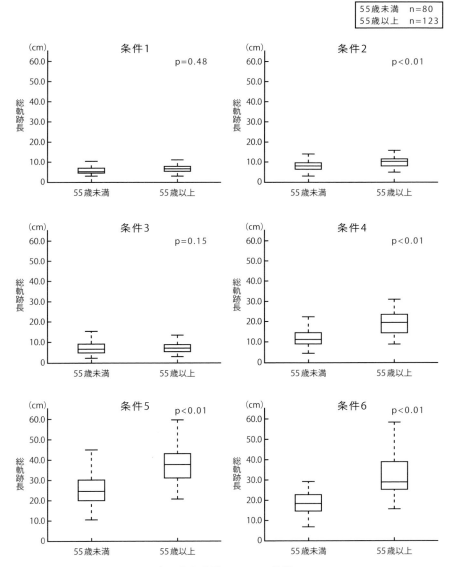

図7-12. Equitestによる55歳以上と未満のCOGの比較
各計測条件は，1：開眼，床面固定，壁面固定，2：閉眼，床面固定，壁面固定
3：開眼，床面固定，身体動揺と同時に壁面が追従傾斜，4：開眼，床面動揺，壁面固定
5：閉眼，床面動揺，壁面固定，6：開眼，床面動揺，身体動揺と同時に壁面が追従傾斜

～6では群間に有意差がみられ，閉眼や視覚刺激が加わった条件5, 6では条件4と比較して軌跡長が高値となった．

2. 高齢者の機能障害

　高齢者は，退行性変化により有毛細胞は減少し，さらに固有感覚の低下により不安定性が増大するため，歩行や方向転換時に頭部を固定し，頭位変換を避ける傾向にある．姿勢は脊柱後弯，股関節・膝関節屈曲位となり，その結果として，頸部は伸展位で前方へ突出する（図7-13）．このような姿勢を保持することにより，柔軟性は低下し，回旋運動が障害される．

3. 日常生活様式

　日常生活での基本的な起き上がり・立ち上がり動作や家事動作は，身体の柔軟性や回旋運動が要求され，前庭刺激となる頭位変換動作が多い（図7-14）．そのため高齢者では，ふらつき感，不安感により，身体の活動性が低下する．ま

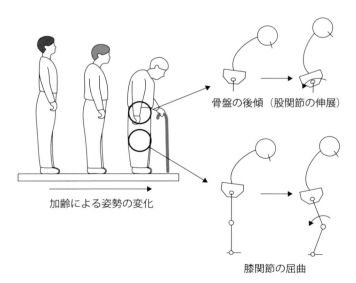

図7-13　高齢者の姿勢

a. 立ち上がり　　　　　b. 掃除動作　　　　　c. 物干し動作

図7-14　日常生活動作における頭位変化

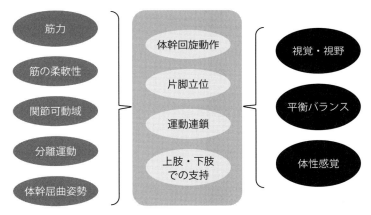

図7-15　活動性向上のための要因
運動器に対するアプローチに加え神経学的因子を促通し，運動や動作を確立する．

た，筋の柔軟性の低下から，四肢・体幹の分節運動が低下し，ふらつき時に頭部偏位が大きく，転倒を招きやすい．

したがって高齢者の転倒予防には，筋力増強に加えて四肢・体幹の分節運動を行うとともに，前庭迷路系への刺激，および視覚や体性感覚との統合が重要となる（図7-15）．

4. 高齢者に対するトレーニング

　高齢者は，前庭機能の退行性変化によりふらつきが増大するため，頭部を固定し，前庭への刺激を抑制する傾向にある．また，頭部の動きと眼球運動との不一致や，重心動揺範囲の狭小化（安定性限界域の狭小）から，姿勢制御機能が低下する．トレーニングでは，身体の柔軟性と分節運動を獲得し，重心移動範囲の拡大（安定性限界域の拡大）と姿勢反射を促通する必要がある．

1) 体幹へのアプローチ

　体幹へのアプローチは，座位または立位にて，肩甲帯の屈曲や体幹の屈曲を促通するが，いずれの動作でも，下肢に荷重し，安定性を図る必要がある．さらに頭部は，体幹に対して同時に回旋する場合と，固定し注視する場合の2つの方法で，前庭と視覚への入力を考慮したトレーニングを行う．片麻痺の対象者にも同様に行い，上肢の痙性に対してはエアースプリントを用いる（図7-16）．

　続いて，レッドコードにて下肢・骨盤を吊り，臍部を中心に下肢を左右に動かし，体幹と骨盤帯の分離運動を行う（図7-17）．

　分離運動が獲得できれば，筋活動および筋力を向上させるため，回旋要素を取り入れた筋力トレーニングを行う（図7-18）．はじめは椅子座位にて行い，徐々に立位に移行する．

a. 上半身・下半身の分離

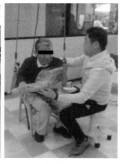
b. 頭部固定による体幹・肩甲帯との分離

図7-16　回旋運動

図7-17　体幹と骨盤帯の分離

a. 体幹に頭部連動　　　　b. 頭部固定

図7-18　頭部刺激と運動連鎖を意識したトレーニング

a. 上位頸椎の可動制限　　　　b. 上位頸椎の可動制限改善

図7-19　頭部回旋を併用したステップ動作

2) 姿勢反射促通のアプローチ

　前庭感覚，視覚，頸部固有感覚に刺激を入力するため，ステップ動作と同時に頭部の回旋を行う（図7-19）．上位頸部での回旋を確認し，回旋ができていない場合には，上位頸部への治療を行う．その後は，徐々にgaze stability exerciseの要素を取り入れていく．

　片脚荷重時には，頭部・体幹の代償により体重移動を行いやすい．頭部・体幹を正中位で保持し，支持側下肢機能を高めて，骨盤帯を中心に荷重する（図7-20）．虚弱高齢者，あるいは要支援・要介護の高齢者では，前庭刺激，眼球運動，体性感覚への刺激を加えた運動が，身体の分節運動の改善による動作時の

a. 頭部体幹からの重心移動（悪い例）　　b. 頭部体幹を保持した重心移動（正しい例）

図7-20　体幹の安定性を考慮した重心移動

a. トレーニング前　　b. トレーニング後

図7-21　トレーニングによる効果
振り向き動作時に頭部回転軌跡が小さくなり，動作時の安定性を獲得できる．

安定性を獲得し，精神的な賦活とともに，健康で活動的な生活の実現につながる（図7-21）．

3）応用動作

　日常活動を高めるために，臥床位から起き上がり歩行する動作や，しゃがみ込み動作からの立ち上がり，歩行時の頭部回旋・前屈・後屈・側屈，8の字歩行，タンデム歩行，歩行時の回転，さらには障害物歩行などを行う（**図7-22**）．

図7-22　障害物歩行

III スポーツ選手に対するトレーニングへの応用

1. 姿勢制御

　動物が獲物を追うとき，時速100km近いスピードで走るが，その時の頭部の動きを観察すると，ほぼ平行移動している．ヒトのスポーツ動作においても，スイング時の頭部や身体の回転時の頭部は，ほぼ固定されている（図7-23）．これは，前庭感覚，頭部，眼球の動きを統合した姿勢反射における姿勢制御が確立されているからである．しかし，頸部固有感覚の情報に異常をきたすと，外

図7-23　頭部の固定と視覚の調整
バッティング時のボールに対して，頭部の動きはみられない．

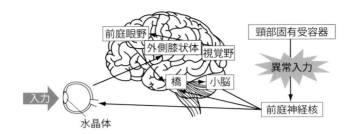

図7-24　視覚調整の障害

図7-25　固定された身体の回旋動作
足趾を中心とした体幹回旋時，頭部・体幹・骨盤帯・下肢が一体となり，分節運動が困難である．

眼筋の調整機能に障害をもたらす（図7-24）．頭頸部を固定することは，前庭への外乱刺激を抑制し，前庭動眼反射による視覚のブレ（動揺視）を抑えることにより，スポーツパフォーマンスの向上につながる．

　また，身体の分節運動が困難な場合，体幹の回旋により頭部の不安定性を招き，視覚のコントロールに障害を招く（図7-25）[35]．頭頸部，体幹，骨盤帯，下肢の分離運動が重要であり，障害が生じると，頭部運動，眼球運動，さらには姿勢制御に影響を及ぼす．

2. 身体のコア機能

　身体のコアの左右不均衡が支持性を低下させ（図7-26），身体の不安定性を招くとともに，局所への負荷が増大する．代償運動および運動効率の低下が，障

a. 右下肢挙上では体幹が保持できている．　　b. 左下肢挙上で腰部の支持性が低下しており，右側方へ傾斜する．

図7-26　背部機能障害による支持性の低下

害の発生につながる．

3. トレーニング方法

　トレーニングとして，支持面からの反力を末梢部に伝える運動連鎖や，身体中心部を安定化させるコアトレーニングが注目されている．さらに，眼球運動と頭頸部の動きを統合し，姿勢反射や外乱刺激に対する対応能力を向上させるために，前庭機能を考慮したトレーニングプログラムを作成する必要がある（図7-27）．

　さらに，パフォーマンスの向上には，頭部，肩甲帯，体幹，骨盤帯，下肢の分節運動を獲得すること，視覚・体性感覚の統合を図ることが重要である．また，ヒトの動作はフィードフォワード（feed forward）により遂行されているため，予測機能の学習も重要となる．

1）レッドコードを使用したトレーニング

　不安定な座面に座り，体幹の改善を加えた上肢・肩甲帯の運動を行い，体幹の支持性を高める（図7-28）．

　一側下肢を吊り，前方移動を行う．この時，頭部・体幹の揺れを抑え，移動スピードをコントロールすることで，姿勢制御の機能を高める（図7-29）．

　体幹を固定し，下肢の回旋運動を行う．次に体幹を保持し，肩甲帯と下肢を

a. 一側支持で片側下肢を挙上することにより体幹機能を促通し，頭部固定位で上肢遠位端に負荷を与えコアトレーニングを行う．

b. エアピロー上に立ち頭部の揺れを抑制し，上肢運動時の下肢・体幹機能を促通するときに視覚刺激を加える．

図7-27　頭部固定でのコアトレーニング

図7-28　不安定な座面でのトレーニング
下肢を床面につけ，膝関節の伸展で後方へ移動しないように保持する．

逆方向に回旋し，身体の分離とコア安定性を向上させる (図7-30)．

2) ロッカーバランストレーニング (図7-31)

　ロッカーバランス上に立ち，鏡で身体の動揺を確認し，頭部の揺れを抑制することを意識したランニング動作を行う．次に鏡を取り除き，ボディイメージを描きながら，同じ動作を行う．さらに，壁面に目標を設定し，視覚や前庭覚に刺激を加えて行う．また，前後方向への運動も行う．

a. 右下肢支持　　　　b. 左下肢支持

c. 左下肢不安定な状態　d. 両下肢不安定な状態
   での投球フォーム　　　での投球フォーム

図7-29　重心移動制御トレーニング
可能であれば支持側にエアピローを用いる.

3) シェイキングボードトレーニング(図7-32)

　床面を0.3, 0.6, 1.2Hzで左右・前後に動かし, 開眼・閉眼にて, 頭部の固定を意識した身体の安定性を獲得する. さらに, 前方に視覚刺激を加える(図7-33).

　　　　　　　　　　＊　＊　＊

　前庭トレーニングは, 前庭に対する外的刺激情報と視覚刺激情報(結像・追視), 固有感覚器からの情報を一致させ, さらに身体の柔軟性を獲得して姿勢を制御することにつながる. この考え方は, 小児から高齢者, さらにはスポーツ

a. 下肢の回旋運動　　b. 体幹固定での上・下肢の回旋運動

図7-30　身体の分離とコアの安定トレーニング

図7-31　ロッカーバランストレーニング

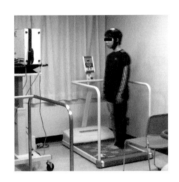

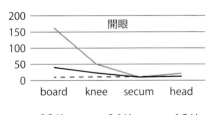 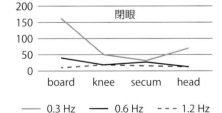

図7-32　シェイキングボードトレーニング
加速度計を用いて頭部・腰部・膝関節部の動揺を計測する．開眼では頭部・腰部の固定が容易で姿勢が安定しているが，閉眼では視覚情報がなくなるため，1.2Hzでの頭部変動が大きくなった．

Ⅲ スポーツ選手に対するトレーニングへの応用 ● *197*

図7-33　さまざまな視覚刺激による身体外乱刺激

選手にまで適応できる．
　レッドコードやキネシスを用いたトレーニングは，コアの安定性とともに，四肢の分離した動きを獲得するトレーニングとして有効である．また，シェーキングボードは，足底からの反復した外乱刺激と同時に視覚刺激を加えることで，姿勢制御が獲得でき，基本動作から競技スポーツのパフォーマンス向上まで，また，リハビリテーションから健康増進分野まで，幅広く応用することができる．

■ 文 献

1) 内野善生：めまいと平衡障害．金原出版，pp9-23, pp85-98, 2009.
2) 坂井建雄，他(編)：人体の構造と機能．日本医事新報社，pp560-723, 2009.
3) 加藤利佳子，他：眼球サッケード運動制御系の概要．Clin Neurosci 28: 24-27, 2010.
4) 三浦健一郎，他：Smooth pursuit system の概要．Clin Neurosci 28: 28-31, 2010.
5) 福島順子：眼球運動の神経科学とその理学療法への応用．理学療法 30: 739-744, 2013.
6) 伊藤規絵，他：加齢と視覚機能．理学療法 30: 754-761, 2013.
7) Lestienne F, et al: Postural readjustments induced by linear motion of visual scenes. Exp Brain Res 28: 363-384, 1977.
8) van Asten W, et al: Postural adjustments induced by simulated motion of differently structured environments. Exp Brain Res 73: 371-383, 1988.
9) 高橋一公：加齢にともなう高齢者の視覚的認知機能の変化．身延山大学東洋文化研究所所報 6：29-48, 2002.
10) Hikosaka O, et al：Cervical effects on abducens motoneurons and their interaction with vestibulo-ocular reflex. Exp Brain Res 18: 512-530, 1973.
11) Kulkarni V, et al: Quantitative study of muscle spindles in suboccipital muscles of human fetuses. Neurology India 49: 355-359. 2001.

12) 肥塚 泉：めまいリハビリテーション；日耳鼻 116：147-153, 2013.
13) Brooks SV, et al: Skeletal muscle weakness in old age: underlying mechanisms. Med Sci Sports Exer 26: 432-439, 1994.
14) Doherty TJ: Physiology of aging. Invited review: aging and sarcopenia. J Appl Physiol 95: 1717-1727, 2003.
15) Baumgartner RN, et al: Epidemiology of sarcopenia among the elderly in New Mexico. Am J Epidemiol 147: 755-763, 1998.
16) Tang Y, et al: Age-related change of the neuronal number in the human medial vestibular nucleus: a stereological investigation. J Vestib Res 11: 357-363, 2001/2002.
17) Bergström B: Morphology of the vestibular nerve. II. The number of myelinated vestibular nerve fibers in man at various ages. Acta Otolaryngol 76: 173-179, 1973.
18) Richter E: Quantitative study of human Scarpa's ganglion and vestibular sensory epithelia. Acta Otolaryngol 90: 199-208, 1980.
19) Rosenhall U: Degenerative patterns in the aging human vestibular neuro-epithelia. Acta Otolaryngol 76: 208-220, 1973.
20) Rauch SD, et al: Decreasing hair cell counts in aging humans. Ann NY Acad Sci 942: 220-227, 2001.
21) Park JJ, et al: Age-related change in the number of neurons in the human vestibular ganglion. J Comp Neurol 431: 437-443, 2001.
22) Herdman SJ, et al: Computerized dynamic visual acuity test in the assessment of vestibular deficits. Am J Otol 19: 790-796, 1998.
23) Schubert MC, et al: Vertical dynamic visual acuity in normal subjects and patients with vestibular hypofunction. Otology and Neurology 23: 372-377, 2002.
24) Agrawal Y, et al: Decline in semicircular canal and otolith function with age. Otol Neurotol 33: 832-839, 2012.
25) Honaker JA, et al: Age effect on the Gaze Stabilization test. J Vestib Res 20: 357-362, 2010.
26) Chang CM, et al: Aging effect on galvanic vestibular-evoked myogenic potentials. Otolaryngol Head Neck Surg 143: 418-421, 2010.
27) Tseng CL, et al: Aging effect on the ocular vestibular-evoked myogenic potentials. Otol Neurotol 31: 959-963, 2010.
28) Welgampola MS, et al: Selective effects of ageing on vestibular-dependent lower limb responses following galvanic stimulation. Clin Neurophysiol 113: 528-534, 2002 .
29) Kelders WP, et al: Compensatory increase of the cervico-ocular reflex with age in healthy humans. J Physiol 553: 311-317, 2003.
30) Matheson AJ, et al: Further evidence for age-related deficits in human postural function. Vestib Res 9: 261-264, 1999.
31) Kristinsdottir EK, et al: Asymmetric vestibular function in the elderly might be a significant contributor to hip fractures. Scand J Rehabil Med 32: 56-60, 2000 .
32) Kristinsdottir EK, et al: Observation of vestibular asymmetry in a majority of patients over 50 years with fall-related wrist fractures. Acta Otolaryngol 121: 481-485, 2001.

33) Aktaş S, et al: An evaluation of the underlying causes of fall-induced hip fractures in elderly persons. Ulus Travma Acil Cerrahi Derg 10: 250-252, 2004.
34) Pothula VB, et al: Falls and vestibular impairment. Clin Otolaryngol Allied Sci 29: 179182, 2004.
35) Hall CD, et al: Efficacy of gaze stability exercises in older adults with dizziness. J Neurol Phys Ther 34: 64-69, 2010.
36) Marioni G, et al: Vestibular rehabilitation in elderly patients with central vestibular dysfunction: a prospective, randomized pilot study. Age (Dordr). 35: 2315-2327, 2013.
37) Jull G, 他(著), 新田収, 他(監訳):頸部障害の理学療法マネージメント. ナップ, 2009.

索引

欧文

Activities-Specific Balance
　　Confidence（ABC）スケール･･･ 46
Adaptation Test ･･････････････ 62
ADT ･･････････････････････ 63

BBQ Roll ････････････････ 144
BBS ･･････････････････････ 66
Berg Balance Scale ･････････ 66
BPPV ････････････････････ 138
Brandt-Daroff exercise ･･･ 143, 146

Canalith Repositioning Treatment ･･
　　140
Cawthorne-Cooksey exercise ･･･ 116
Center of Pressure ･･････････ 58
cervical VEMP ･･･････････ 85
COP ･･････････････････････ 58
COR ･････････････････････ 173
corrective saccade ･･･････ 83, 84
CP ･･･････････････････････ 84
CRT ･･････････････ 140, 147, 148
cVEMP ･････････････････ 85

DGI ･･････････････････････ 67
DHI ･･････････････････････ 43
Dix-Hallpike 法 ･･････････ 82
Dizziness Handicap Inventory ･･･ 43
DVA ･･･････････････ 74, 155
Dynamic Gait Index ･････ 67, 78
Dynamic Visual Acuity Test ･････ 74

Epley ････････････････････ 140
Equitest ･････････ 62, 161, 183
ETT ･････････････････････ 86
Eye Tracking Test ･･････････ 86

FGA ･･････････････････････ 71
Four Square Step Test ･･････ 66
FSST ･･････････････････････ 66
Functional Gait Assessment ･･･ 71
functional reach test ･･････ 66

gaze stability exercise ･ 98-103, 125,
　　182
GSE ････････････････ 98, 122, 123
Gufoni 法 ････････････････ 144

habituation ･･･････････ 98, 123
habituation exercise ･･･ 99, 104, 106,
　　107, 122, 125
HADS ････････････････････ 46
Head Impulse Test ･･････････ 83
head shaking nystagmus test ･･･ 84
HIT ･････････････････････ 83
Hospital Anxiety and Depression
　　Scale ････････････････ 46

jumbling 現象 ･･･････････ 25

Kinetic Visual Acuity ････････ 78
KVA ･･････････････････････ 78

Lempert 法 ･････････････ 144

Liberatory 法 ・・・・・・・・・・・・・ 142, 144

macula ・・・・・・・・・・・・・・・・・・・・・・・ 4
MCT ・・・・・・・・・・・・・・・・・・・・・・・・ 62
Motion Sensitivity Quotient　55, 106
Motor Control Test ・・・・・・・・・・・ 62
Moving force platform exercise・119
MSQ ・・・・・・・・・・・・・・・・・・・・・ 55, 106

ocular VEMP ・・・・・・・・・・・・・・・・・ 85
OKN ・・・・・・・・・・・・・・・・・・・・・・・・ 87
optokinetic nystagmus ・・・・・・・・ 87
oscillopsia ・・・・・・・・・・・・・・・・・・・・ 7
oVEMP ・・・・・・・・・・・・・・・・・・・・・・ 85

Persistent Postural-Perceptual
　　Dizziness ・・・・・・・・・・・・・・・・ 27
PPPD ・・・・・・・・・・・・・・・・・・・・ 27, 28

Ramsay-Hunt 症候群 ・・・・・・・・・・ 18
relocation test ・・・・・・・・・・・・・・ 159
rolling-over maneuver ・・・・・・・・ 146

saccade ・・・・・・・・・ 11, 87, 113, 176
SDS ・・・・・・・・・・・・・・・・・・・・・・・・ 50
Self-Rating Depression Scale ・・・・ 50
Semont の変法 ・・・・・・・・・・・・・・ 145
Semont 法 ・・・・・・・・・・・・・・・・・ 142
Sensory Organization Test ・・・・・・ 62
sharp-purser test ・・・・・・・・・・・・ 158
smooth pursuit ・・・・・・・・・・ 11, 178
SOT ・・・・・・・・・・・・・・・・・・・・・・・・ 62
STAI ・・・・・・・・・・・・・・・・・・・・・・・・ 48
State-Trait Anxiety Inventory ・・・ 48
Stenger 法 ・・・・・・・・・・・・・・・・・・ 82
substitution ・・・・・・・・・・・・・ 98, 123

substitution exercise ・・99, 113, 116,
　　122, 125
Timed Up and Go test ・・・・・・・・ 74
TUG ・・・・・・・・・・・・・・・・・・・・・ 74, 78

VADL ・・・・・・・・・・・・・・・・・・・・・・・ 46
VCR ・・・・・・・・・・・・・・・・・・・ 173, 180
VDT ・・・・・・・・・・・・・・・・・・・ 154, 155
VEMP ・・・・・・・・・・・・・・・・・・・・・・ 84
Vertigo Handicap Questionnaire　43
Vertigo Symptom Scale ・・・・・・・・ 46
Vertigo Symptom Scale short form ・・
　　46
vestibular disorders ADL scale ・・ 46
Vestibular Evoked Myogenic
　　Potential ・・・・・・・・・・・・・・・・ 84
vHIT ・・・・・・・・・・・・・・・・・・・・・・・・ 83
VHQ ・・・・・・・・・・・・・・・・・・・・・・・ 43
Video Head Impulse Test ・・・・・・ 83
Visual Display Terminal ・・・・・・・ 154
Visual Vertigo Analogue Scale ・・ 41
VOR ・・・・・ 74, 98, 100, 173, 180, 181
VOR gain ・・・・ 84, 100, 102, 113, 182
VSR ・・・・・・・・・・・・・・・・ 98, 100, 173
VSS ・・・・・・・・・・・・・・・・・・・・・・・・ 46
VSS-sf ・・・・・・・・・・・・・・・・・・・・・・ 46
VVAS ・・・・・・・・・・・・・・・・・・・・・・・ 41

和文

あ行

足踏み検査 ・・・・・・・・・・・・・・・・・・・・ 65
安定性限界域 ・・・・・・・・・・・・・・・・・ 188

移動機能·················· 67
ウイルス感染················ 16
動きの感受性の評価············ 55
運動覚···················· 52
運動連鎖·················· 193
エアーカロリックテスト·········· 84
温度刺激検査················ 84

か行

下位頸椎·················· 167
外傷性頸部症候群············· 152
外側前庭脊髄路·············· 173
外側半規管······ 3, 5, 7, 138, 144, 145
外側半規管型 BPPV········ 144, 146
回転加速度················ 3, 4
回転性めまい················ 16
外側前庭脊髄路··············· 7
蝸牛··················· 2, 3
加速度···················· 3
滑動性眼球運動·············· 178
活動量··················· 121
加齢············ 32, 178, 182, 183
カロリックテスト·············· 84
感覚検査··················· 52
感覚入力·················· 115
感覚毛···················· 5
眼球運動··· 7, 11, 159, 173, 175, 179, 192
眼振検査··················· 78
関節覚···················· 52
関節可動性················· 162
球形嚢·················· 4, 85
急速眼球運動················ 11
急速眼球運動検査·············· 87
協調性検査·················· 53

起立試験··················· 35
起立性調節障害··············· 35
筋力の評価·················· 54
空間認知·················· 7, 9
クプラ·················· 3, 5, 22
クプラ結石症············· 22, 138
頸眼反射·················· 114
頸部関節位置覚··········· 152, 166
頸部機能評価················ 54
頸部固有感覚····· 159, 179, 189, 191
頸部固有感覚トレーニング········ 165
頸部固有受容器トレーニング······ 152
頸部障害·············· 162, 167
頸部痛··············· 152, 154
頸部疲労·············· 154, 155
頸部リハビリテーション········· 162
血管····················· 5
結像···················· 195
コア安定性················· 194
コアトレーニング············· 193
向地性眼振················· 144
後半規管··· 3, 5, 7, 138, 140, 142, 143
後半規管型 BPPV············ 146
高齢者··············· 179, 186-189
股関節戦略················· 179
固有感覚············· 10, 178, 179
固有感覚器··············· 167, 195

さ行

サッケード·················· 11
三半規管··················· 2
視運動性眼球運動·············· 11
視運動性眼振················ 11
視運動性眼振検査·············· 87
視覚···· 10, 115, 175, 178, 179, 181,

182, 187, 189, 192, 193
視覚検査 ･････････････････････ 161
視覚情報 ･･･････････････････ 11, 180
視覚入力 ･････････････････････ 122
姿勢 ･････････････････････････ 152
姿勢安定性 ･･････････････ 115, 160
姿勢安定性の評価 ････････････ 61
姿勢指導 ･････････････････････ 167
姿勢制御 159, 172, 179, 191-193, 197
姿勢制御機能 ････････････････ 188
姿勢戦略 ･････････････････････ 179
姿勢の評価 ･･･････････････････ 54
姿勢反射 ･････････････････････ 191
姿勢不安定性 ･･････････ 120, 183
姿勢保持 ･････････････････････ 173
耳石 ･･････････････････････････ 22
耳石器 ･･･････････････ 2-5, 7, 172
耳石置換療法 ･････････････････ 22
持続性知覚性姿勢誘発めまい ･･･ 26, 27
自発眼振検査 ･････････････････ 78
重心位置 ･･････････････････ 58, 61
重心動揺 ･･･････････ 152, 159, 160
重心動揺計測値 ･･･････････････ 60
重心動揺検査 ･･････････････ 58, 59
上位頸椎 ･･････････････････ 158, 167
上位頸部 ･････････････････････ 189
衝動性眼球運動 ･･･････ 113, 154, 176
小脳 ･･･････････････ 9, 10, 12, 29, 122
小脳障害 ･････････････････････ 61
小脳脳幹機能検査 ････････････ 86
小脳・脳幹障害 ･････････････ 87
心因性 ････････････････････････ 61
身体の分離 ･･････････････････ 194
振動覚 ････････････････････････ 52
深部知覚障害 ･････････････････ 61
心理的・精神的要因 ･･･････････ 121

スムースパシュート ･･････････ 11
静的バランス評価 ･･････････ 56
前下小脳動脈 ･･･････････････ 5
前庭 ･･････････････････････ 8
前庭覚 ･･･････････････････ 178
前庭感覚 ･････････ 10, 179, 182, 189
前庭器 ･･･････････････････ 3, 5, 7
前庭機能 ･･･ 115, 120, 122, 159, 172, 179, 181, 188, 193
前庭機能検査 ･･････････････ 82
前庭機能障害 ･･････････････ 32
前庭機能低下 ･･････････････ 98
前庭障害 ･･･ 100, 120, 122, 123, 183
前庭障害 ADL スケール ･････ 46
前庭障害患者 ･････････････ 121
前庭自律神経反射 ･･･････････ 8
前庭神経 ･････････････････ 34
前庭神経炎 ･･･････････････ 16
前庭神経核 ･･･････････････ 7
前庭性眼球運動 ･･･････････ 11
前庭脊髄反射 ･･･････････ 7, 98
前庭脊髄路 ･･･････････････ 173
前庭代償 ･･･････ 11, 12, 16, 24, 100
前庭適応 ･･･････････････････ 98
前庭動眼反射 ･････････ 7, 74, 98, 192
前庭トレーニング ･･････････ 195
前庭の役割 ･････････････････ 172
前庭誘発眼筋電位検査 ･･･････ 85
前庭誘発筋電位検査 ･･･････ 84
前庭誘発頸筋電位検査 ･･･････ 85
前庭リハビリテーション ･･･ 17, 18, 20, 24, 25, 28, 29, 31-34, 98, 120, 122, 123, 125, 131, 133, 147, 148, 183
前半規管 ･･･････････････ 3, 5, 7, 138
前半規管型 BPPV ･･･････････ 148

足関節戦略・・・・・・・・・・・・・・・・・・・・・ 179

た行

体幹・・・・・・・・・・・・・・・・・・・・・・・・・・・・ 188
体性感覚・10, 115, 179, 182, 187, 193
大脳・・・・・・・・・・・・・・・・・・・・・・・・・・・・・・ 9
体平衡・・・・・・・・・・・・・・・・・・・・・・・・・・・ 10
単脚直立検査・・・・・・・・・・・・・・・・・・・・ 56
タンデム・・・・・・・・・・・・・・・・・・・・・・・・ 56
注視眼振検査・・・・・・・・・・・・・・・・・・・・ 79
中枢神経障害・・・・・・・・・・・・・・・・・・・ 122
聴神経腫瘍・・・・・・・・・・・・・・・・・・・・・・ 34
直線加速度・・・・・・・・・・・・・・・・・・・・・・・ 4
追視・・・・・・・・・・・・・・・・・・・・・・・・・・・ 195
追従性眼球運動・・・・・・・・・・・・・・・・・ 154
追跡眼球運動検査・・・・・・・・・・・・・・・・ 86
転倒・・・・・・・・・・・・・・・・・・・・・・・・・・・・ 32
転倒予防・・・・・・・・・・・・・・・・・・ 182, 187
頭位眼振検査・・・・・・・・・・・・・・・・・・・・ 80
頭位変換・・・・・・・・・・・・・・・ 22, 138, 140
頭位変換眼振検査・・・・・・・・・・・・・・・・ 82
頭振後眼振検査・・・・・・・・・・・・・・・・・・ 84
動体視力・・・・・・・・・・・・・・・・・・ 106, 154
動体視力検査・・・・・・・・・・・・・・・・・・・・ 74
動的バランス評価・・・・・・・・・・・・・・・・ 65
頭部運動・・・・・・・・・・・・・・・・・・・・・・・ 192
頭部の動き・・・・・・・・・・・・・・・・・・・・・ 173
動毛・・・・・・・・・・・・・・・・・・・・・・・・・・・・・ 5
動揺視・・・・・ 7, 25, 98, 154, 181, 192

な行

内耳・・・・・・・・・・・・・・・・・・・・・・・・・・ 2, 3
内側前庭脊髄路・・・・・・・・・・・・・・ 7, 173
慣れ・・・・・・・・・・・・・・・・・・・・・・・・・・・・ 98

脳幹・・・・・・・・・・・・・・・・・・・・・・・・ 11, 29
脳幹障害・・・・・・・・・・・・・・・・・・・・・・・・ 61
脳底動脈・・・・・・・・・・・・・・・・・・・・・・・・・ 5

は行

パーキンソン病・・・・・・・・・・・・・・・・・・ 61
半規管・・・・・・・・・・・・・・・・・・・ 3-5, 7, 172
半規管結石症・・・・・・・・・・・・・・・・・・・ 138
半規管麻痺・・・・・・・・・・・・・・・・・・・・・・ 84
非向地性眼振・・・・・・・・・・・・・・・・・・・ 145
ファンクショナルリーチテスト・・・・ 66
不動毛・・・・・・・・・・・・・・・・・・・・・・・・・・・ 5
踏み出し戦略・・・・・・・・・・・・・・・・・・・ 179
フレンツェル眼鏡・・・・・・・・・・・・・・・・ 78
平衡障害・・・・・・・・・・・・・・・・・・・・・・・・ 11
平衡斑・・・・・・・・・・・・・・・・・・・・・・・・・・・ 4
片側前庭障害・・・・・・・・・・・・・・・・・・・・ 60
膨大部・・・・・・・・・・・・・・・・・・・・・・・・・・・ 3
ほかの感覚での代償・・・・・・・・・・・・・・ 98
ホームエクササイズ・・・・122, 131, 146, 148

ま行

膜迷路・・・・・・・・・・・・・・・・・・・・・・・・・・・ 3
マン検査・・・・・・・・・・・・・・・・・・・・・・・・ 56
迷路動脈・・・・・・・・・・・・・・・・・・・・・・・・・ 5
メニエール病・・・・・・・・・・・・・・・・・・・・ 18
めまい・・・・・・・・・・・・・・・・・・・・・・ 29, 32
めまい症状・・・・・・・・・・・・・・・・・ 152, 183
めまいを伴う突発性難聴・・・・・・・・・・ 18

や行

有毛細胞・・・・・・・・・・・・・・・・・・・・・・・ 3-5

翼状靱帯ストレステスト･･････････158
予測機能･･････････････････114, 193

ら行

ラバー負荷検査･･････････････････59

卵形嚢･･････････････････････3, 4, 85
リスク管理･･････････････････････40
両脚直立検査････････････････････56
良性発作性頭位めまい症･････22, 138
両側性前庭障害･･････････････････61
ロンベルグ陽性･･････････････････56

編者略歴

浅井友詞（あさい ゆうじ）

1984 年	清恵会第 2 医療専門学校理学療法学科卒業
1984 年	名古屋市立大学病院リハビリテーション部
1998 年	ユマニテク医療専門学校理学療法学科学科長（2004 年より学校長）
2003 年	米国ロマリンダ大学保健学部非常勤准教授
2007 年	名古屋市立大学大学院医学研究科後期課程修了，博士（医学）
2008 年～	日本福祉大学健康科学部リハビリテーション学科理学療法学専攻教授

岩﨑真一（いわさき しんいち）

1992 年	東京大学医学部医学科卒業
2000 年	東京大学大学院医学系研究科外科学専攻修了
2002 年	東京大学医学部耳鼻咽喉科助手
2006 年	シドニー大学に留学
2007 年	東京大学医学部耳鼻咽喉科講師
2009 年	東京大学医学部耳鼻咽喉科准教授
2019 年	名古屋市立大学医学部耳鼻咽喉・頭頸部外科教授

前庭リハビリテーション　めまい・平衡障害に対するアプローチ　第2版

発　行	2015年　5月30日　第1版第1刷
	2018年　2月20日　第1版第2刷
	2023年10月10日　第2版第1刷Ⓒ

編　集　浅井友詞・岩﨑真一
発行者　青山　智
発行所　株式会社 三輪書店
　　　　〒113-0033　東京都文京区本郷 6-17-9 本郷綱ビル
　　　　TEL 03-3816-7796　FAX 03-3816-7756
　　　　https://www.miwapubl.com/
装　丁　関原直子
組　版　有限会社 ボンソワール書房
印刷所　三美印刷 株式会社

本書の内容の無断複写・複製・転載は、著作権・出版権の侵害となることがありますのでご注意ください。
ISBN 978-4-89590-790-3
JCOPY ＜出版者著作権管理機構 委託出版物＞
本書の無断複製は著作権法上での例外を除き禁じられています。複製される場合は、そのつど事前に、出版者著作権管理機構（電話 03-5244-5088、FAX 03-5244-5089、e-mail: info@jcopy.or.jp）の許諾を得てください。